JN084241

JP3-61 Public Affairs

米軍広報
マニュアル
統合参謀本部広報ドクトリン

米統合参謀本部 [編]
前山一歩 [編訳]
(元海上自衛隊米海軍兵学校連絡官)

並木書房

はじめに

前山一歩
（元海自1佐 米海軍兵学校連絡官）

　世界で最も情報化社会が進んでいる米国において、外交・安全保障の担い手である米軍は、2010年に『広報に関する統合ドクトリン（JP3-61：Joint Publication 3-61 Public Affairs）』を大幅に改訂した。この改訂版では、広報の位置付けを、それまでの総務・監理のカテゴリーから作戦・運用のカテゴリーに変更している。2015年、2016年には一部内容がアップデートされ、本書はその最新バージョンを全訳したものである。

　JP3-61では、次の5原則を示している。

1. 事実・真実の公表
2. 適時の情報および映像の提供
3. 情報源の安全の確保（国家機密に関わる情報の保全義務）
4. 一貫した情報提供
5. 国防総省が提供する情報の公表

　この『JP3-61』の中で興味深いのは、広報においてプロパガンダは実施しないと明記し、積極的に正しい情報や映像を国内や国際社会に発信し、米国の作戦行動に対する理解を促進することで、敵対勢力のプロパガンダの効力を低減させ、国家、戦略、作戦の目標を達成することができると明記していることである。そして、『JP3-61』は、80年以上に及ぶ米軍広報の試行錯誤の結果と情報化社会による社会環境を反映し実用されているドクトリンである。

　ところで、『JP3-61』の「3」は米軍において作戦・運用のカテゴリーであることを示している。通常、日本においては企業や官庁、地方自治体などにおける広報は総務・監理系統におかれているのが一般的である

が、米軍は広報を作戦・運用に位置付けている。かつて米軍も総務・監理系統の広報はカテゴライズされていたが、2010年のドクトリン改正時に作戦・運用のカテゴリーに移された。

　この背景には、米軍の広報は太平洋戦争以来80年以上にわたり、その時代の社会情勢や技術の進歩に最適解を求め、常に試行錯誤を繰り返してきた歴史を持っており、その集大成である『JP3-61』が作戦・運用のカテゴリーに移動したということは大きなイノベーションが起きた証左であり、世界の潮流に後れをとっている日本は先入観を排して真摯に学ぶことが必要であろう。

　日本において広報はPR（Public Relations）といわれているが、ミリタリーの世界ではPA（Public Affairs）とされている。現代戦は、MOOTW（Military Operations Other Than War：戦争ではない軍事行動）やハイブリッド戦と呼ばれる平時の中で情報戦、世論戦、歴史戦、そしてサイバー空間において攻防が行なわれる。すなわち砲弾が飛び交うことなく有事が常在し、社会が認知することのない領域で激しい戦いが起きているのである。

　このMOOTWやハイブリッド戦の環境下でし烈なしのぎあいが行なわれる安全保障の分野において、広報はPRの「社会との関係構築」からPAの「社会への積極的関与」という現実的かつ具体的な概念が用いられている。

　ハイブリッド戦において平和的に勝利を勝ち取り武力行使を抑止することが、現代のミリタリーにおける重要なミッションであり、「PA」という概念、「目的の達成のために行なう社会への戦略的関与活動」が重要な任務として付与されているのである。

　ICT（Information and Communication Technology）時代は、大量の情報が氾濫しておりビックデータの処理、すなわちデータサイエンスのマネジメントが国家や企業の命運を左右する時代になっている。加えて私たちの日常生活に視点を移すとメディアは多様化し、情報の伝達経路は複雑化・多層化している。

　こうした社会環境の変化の中で国民や世論と率直に対話し、理解と信

頼を得るためにあらゆる努力をする必要があり、それが民主主義に対する責任であると『JP3-61』では捉えている。

　ハーバード大学ケネディスクールの学長を務め知日派として知られる国際政治学者のジョセフ・ナイ（Joseph S. Nye, Jr.）は、情報化時代におけるコミュニケーション戦略の重要性を強調している。(1) すなわち軍事力はハード・パワーのみならず、ソフト・パワーの手段を併せて用いることが必要であり、スマート・パワー戦略には、情報とコミュニケーションの要素を伴わなければならないとしている。(2) 軍事力におけるソフト・パワーの中核を担うのは広報であり、限られた予算とマンパワーの中で防衛力のスマート・パワー化に必要なのは、人間の知性と創造力、そして文化である。

　本書は２つのステップから構成されている。まず、ファンダメンタルな知識として、米統合軍のドクトリンである『JP3-61』を具体的に広報活動の計画、実施、評価をするためのドクトリンとして基本事項、役割、責任および機能や能力との関係を紐解き、ICTそしてグローバル化の時代に応じた広報の実践的な戦略と戦術を提示する。そして日本の現状を踏まえながら『JP3-61』をインプリメントし、戦略的な広報の構築について考察していきたい。

　なお本書の出典は、"JP3-61, Public Affairs, 17 November 2015 Incorporating Change 1, 19 August 2016 - Epub" である。

（https://www.jcs.mil/Portals/36/Documents/Doctrine/pubs/jp3_61.pdf）

（1）ジョセフ.S. ナイ著 山岡洋一・藤島京子訳『スマートパワー』日本経済新聞出版社、2011年、42-43頁。
（2）同上、42-43頁

目　次

第1章 広報（PA）の概要

第2章 広報の責任と関係機関

第3章　統合作戦における広報　71

第4章 ホームランドでの統合広報活動

付録F ソーシャルメディア

付録G 統合広報訓練

付録H JP3-61の主要な関連文書

第Ⅱ部 『JP3-61』の活用

略語集

AC Active Component（現役部門）

AFRTS American Forces Radio and Television Service（米軍ラジオ・テレビサービス）

AFTTP Air Force tactics, techniques, and procedures（米空軍戦術・技術および手順）

AOR area of responsibility（責任担当地域）

APEX Adaptive Planning and Execution（対応計画と実施）

ASD（PA） Assistant Secretary of Defense (Public Affairs)（国防次官補）**(広報)**

ATP Army techniques publication（米陸軍技術文書）

CA civil affairs（民事）

CAIS civil authority information support（行政当局情報支援）

CAP crisis action planning（危機対処計画）

CBRN CM chemical, biological, radiological, and nuclear consequence management（化学・生物・放射線および核の影響管理）

CCDR combatant commander（戦闘部隊指揮官）

CCMD combatant command（戦闘部隊司令部）

CCS commander's communication synchronization（司令官コミュニケーション・シンクロナイゼーション）

CJCS Chairman of the Joint Chiefs of Staff（統合参謀本部議長）

CJCSI Chairman of the Joint Chiefs of Staff instruction（統合参謀本部議長指示）

CJCSM Chairman of the Joint Chiefs of Staff manual（統合参謀本部議長マニュアル）

CMO civil-military operations（民軍共同活動）

CMOC civil-military operations center（民軍運営センター）

COA course of action（行動方針）

COM chief of mission（大使・使節団長）

COMCAM combat camera（コンバットカメラ）

CONOPS concept of operations（作戦コンセプト）

CONUS continental United States（アメリカ合衆国本土）

CUI controlled unclassified information（管理された非機密情報）

CWMD countering weapons of mass destruction（大量破壊兵器対処）

DCE defense coordinating element（国防調整部隊）

DCO defense coordinating officer（国防調整官）

DHS Department of Homeland Security（国土安全保障省）

DIMOC Defense Imagery Management Operations Center（国防画像管理運用センター）

DINFOS Defense Information School（国防情報学校）

DMA Defense Media Activity（国防メディア事業局）

DOD   Department of Defense（国防総省）

DODD   Department of Defense directive（国防総省指令）

DODI   Department of Defense instruction（国防総省指示）

DODM   Department of Defense manual（国防総省マニュアル）

DOS   Department of State（国務省）

DPO   Defense Press Office（国防報道室）

DSCA   defense support of civil authorities（行政当局防衛支援）

DSPD   defense support to public diplomacy（パブリックディプロマシーに対する防衛支援）

DTD   Deployable Training Division（派遣訓練部）

DVIDS   Defense Video and Imagery Distribution System（国防映像画像配信システム）

EPW   enemy prisoner of war（敵国捕虜）

ESF   emergency support function（緊急支援機能）

EXORD   execute order（実施命令）

FEMA   Federal Emergency Management Agency (DHS)（連邦緊急事態管理庁）

FHA   foreign humanitarian assistance（海外人道支援）

GCC   geographic combatant commander（地域戦闘部隊司令官）

HN   host nation（ホスト国）

IGO   intergovernmental organization（政府内組織）

IO   information operations（情報作戦）

IRC   information-related capability（情報関連機能）

J-2   intelligence directorate of a joint staff（統合参謀本部情報部）

J-3   operations directorate of a joint staff（統合参謀本部作戦運用部）

J-7   Joint Staff Directorate for Joint Force Development（統合参謀本部統合戦力開発部）

JCCC   Joint Combat Camera Center（統合コンバットカメラセンター）

JCSE   Joint Communications Support Element（統合通信支援部隊）

JDN   joint doctrine note（統合ドクトリンノート）

JFC   joint force commander（統合軍司令官）

JHNS   Joint Hometown News Service（統合ホームタウン・ニュースサービス）

JIACG   joint interagency coordination group（統合省庁間調整グループ）

JIC   joint information center（統合情報センター）

JNCC   joint network operations control center（統合ネットワーク運用管理センター）

JOPP   joint operation planning process（統合作戦計画プロセス）

JP   joint publication（統合参謀本部文書）

JPASE   Joint Public Affairs Support Element（統合広報支援部隊）

JTF   joint task force（統合任務部隊）

KLE   key leader engagement（主要リーダーへの関与）

LNO liaison officer（連絡官）

MCRP Marine Corps reference publication（海兵隊参考文書）

MILDEC military deception（軍事的欺瞞）

MISO military information support operations（軍事情報支援活動）

MOC media operations center（メディア・オペレーションセンター）

MOE measure of effectiveness（効果測定）

MOP measure of performance（パフォーマンス測定基準）

NEO noncombatant evacuation operation（非戦闘員避難作戦）

NGO nongovernmental organization（非政府組織）

NICCL National Incident Communications Conference Line（国家緊急事態通信会議回線）

NRF National Response Framework（国家対応フレームワーク）

NSC National Security Council（国家安全保障会議）

NTTP Navy tactics, techniques, and procedures（米海軍戦術・技術および手順）

OE operational environment（作戦環境）

OPLAN operation plan（作戦計画）

OPORD operation order（作戦命令）

OPSEC operations security（作戦保全）

PA public affairs（広報）

PAG public affairs guidance（広報ガイダンス）

PAO public affairs officer（広報官）

PD public diplomacy（パブリック・ディプロマシー／広報文化外交）

PO peace operations（平和活動）

PPAG proposed public affairs guidance（広報ガイダンス案）

PR personnel recovery（人員の回復）

RC Reserve Component（予備役部門）

RFF request for forces（部隊要請）

SME subject matter expert（分野別専門官）

TV television（テレビ）

USAID United States Agency for International Development（米国国際開発庁）

USG United States Government（米国連邦政府）

USTRANSCOM United States Transportation Command（米国輸送軍）

VI visual information（視聴覚情報）

VIRIN visual information record identification number（視覚情報記録識別番号）

VISION ID visual information professional identifier（視聴覚情報識別番号）

WMD weapons of mass destruction（大量破壊兵器）

WSV weapons system video（兵器システムビデオ）

用語解説

American Forces Radio and Television Service（米軍ラジオ・テレビ・サービス）

audience（オーディエンス・視聴者。広報活動において、利害関係者および/または一般市民を含む広範に定義されたグループ）

combat camera（コンバットカメラ・戦場カメラ。各軍種指定部隊で、特別に訓練された派遣部隊。軍事作戦中に高品質の視覚情報を提供することができる。COMCAMとも呼ばれる）

commander's communication synchronization（司令官コミュニケーション・シンクロナイゼーション。ナラティブ、テーマ、メッセージ、画像、作戦、行動を調整・同期化し、関連するすべてのコミュニケーション活動において、その完全性と一貫性を最低戦術レベルまで保証するためのプロセス。CCSとも表記される）

command information（指揮情報。軍事組織が内部の対象者に向けて行なうコミュニケーションで、組織の目標に対する意識を高め、自分自身や組織に影響を与える重要な動向を知らせ、組織の代表者としての有効性を高め、組織で何が起こっているかを知らせ続けるもの。内部情報とも呼ばれる）

community engagement（コミュニティ・エンゲージメント。ミリタリーと一般社会の関係を支援する広報活動）

external audience（部外オーディエンス。広報では、米軍関係者ではないすべての人。国防総省の文民職員とその近親者以外のすべての人々）

internal audience（部内オーディエンス。広報では、米軍関係者、国防総省の文民職員とその近親者の人々）

internal information（部内情報）

Joint Public Affairs Support Element（統合広報支援部隊。統合軍司令官を支援し、統合、省庁間および多国籍環境における広報部隊の構築と訓練を行なうために配置される展開可能なユニット。JPASEとも呼ばれる）

media operations center（メディア・オペレーションセンター。軍事作戦の実施中に軍とメディアの接点の中心的役割を果たすために司令官によって設立された施設。MOCとも呼ばれる）

media pool（メディアプール。特定の活動中にニュースの収集と資料の共有を目的として、多数の報道機関を代表する限られた数の報道機関をいう）

message（メッセージ。①平文または秘匿文で簡潔に表現され、あらゆる通信手段による送信に適した形で準備された思想またはアイデア。②特定のテーマをサポートするために、限られたオーディエンスに向けられた狭い範囲に絞ったコミュニケーション。MSGとも表記される）

military journalist（ミリタリー・ジャーナリスト）

news media representative（ニュースメディア代表）

official information（公式情報。米国政府が所有し、米国政府のために作成され、または米国政府の管理下にある情報）

public（パブリック。広報活動において、軍隊がコミュニケーションを調整することができる共通の属性を持つ集団のこと）

public affairs（広報。外部・内部とのコミュニケーション活動。PAと表記する）

public affairs assessment（広報アセスメント。ニュースメディアや社会環境を分析し、戦略や作戦目標、軍事活動に対する理解の度合いを評価し、国民の支持の度合いを確認する）

public affairs guidance（広報ガイダンス。公共的なコミュニケーション活動に関して、しかるべき機関が定めた制約事項や制限事項のこと。PAGと表記される）

public information（パブリック・インフォメーション。広報の中で軍事的性質を持つ情報で、その普及が安全保障と一致し公表が承認されたもの）

security review（セキュリティ・レビュー。一般公開する前に情報やコンテンツを精査し、現在または将来の業務に支障がないことを確認するプロセス）

stakeholder（ステークホルダー。広報では、軍事作戦、行動および/または結果に直接影響を受け、その利益が積極的または消極的に行動への動機となる個人または集団のことをいう）

technical documentation（技術資料）

visual information（視聴覚情報。静止画・動画撮影、オーディオ・ビデオ撮影、グラフィックアート、ビジュアルプレゼンテーションなど、音声の有無にかかわらず様々な視聴覚メディアを一般的に指す。VIとも呼ばれる）

第Ⅰ部
『JP3-61』全訳

Joint Publication 3-61

Public Affairs

17 November 2015
Incorporating Change 1
19 August 2016

まえがき

1. 適用範囲

　本書は、基本事項、役割、責任および統合機能・能力との関係を含め、統合作戦における広報活動を計画、実施および評価するためのドクトリンを提供するものである。

2. 目 的

　本書は、統合参謀本部議長の指示の下に作成され、統合作戦における米軍の活動と実績を管理するための統合ドクトリンを定めるものである。また、政府機関、非政府機関、多国籍軍、その他の組織間パートナーとの軍事的相互作用に関する考え方も示している。

　戦闘部隊指揮官およびその他の統合軍司令官（Joint Force Commander）による権限行使のための軍事的ガイダンスを提供し、作戦および訓練のための統合ドクトリンを規定するものである。

　本書は、米軍がその計画および命令を作成し、実行する際に使用する軍事的指針を提供する。また、本書の目的は、目的を達成するための一体性を確保するために、統合軍司令官が最も適切と考える方法で部隊を編成し、任務を遂行するための権限を制限することを避けることである。

3. 適 用

a. 本書で定める統合ドクトリンは、統合参謀本部、戦闘部隊の指揮官、

下位統合司令部、統合任務部隊、これらの司令部の下位部門、各軍種および戦闘支援機関に適用される。

b. 本書の指針は正式なものであるため、特別な事態が発生し指揮官が判断した場合を除き、この教義に従わなければならない。本書の内容と軍の出版物の内容の間に矛盾が生じた場合は、通常、統合参謀本部議長が統合参謀本部員と連携して、より最新かつ具体的なガイダンスを提供しない限り、本書が優先されるものとする。

　多国籍（同盟または連合）軍司令部の一部として活動する部隊の司令官は、米国が公式に承認した多国籍のドクトリンおよび手続きに従うものとする。米国が承認していないドクトリンや手続きについては、指揮官は適用が可能であり、米国の法律、規則、ドクトリンと整合性がある場合、多国籍軍のドクトリンや手続きを評価し、それに従うべきである。

　統合参謀本部議長殿

米陸軍中将　ウィリアム・C・メイヴィル，Jr
米国統合参謀本部長

エクゼクティブサマリー
―指揮官への概要説明―

- 広報と作戦環境
- 広報の役割と基礎
- 広報と司令官のコミュニケーション・シンクロナイゼーション（同期化）
- 統合作戦における広報の計画、実行、評価
- ホームランドセキュリティにおける統合広報
- 視聴覚情報の情報源、計画、評価

....

概　要

　米軍には軍人や米国民とコミュニケーションをとる義務があり、国際的な世論とコミュニケーションをとることは国益に適う。

　　国内外のオーディエンスに正確な情報を積極的に発信することで、統合作戦の状況を把握し、軍事作戦に関する情報に基づいた認識を促進し、敵対的なプロパガンダを弱め、国家、戦略、作戦の目標達成を支援することができる。統合作戦は、友好的、中立的、敵対的な聴衆を対象にした、ニーズに合ったコミュニケーションによって支援される。広報担当者（PA）は、特定の国民にコミュニケーション活動を集中させる。現代の通信速度と複数のオーディエンスの多様性により、コミュニケーションを迅速かつ機敏に同期させることの重要性が増している。

憲法修正第1条は報道の自由を保障している。しかし、国防総省では、この権利と米軍や多国籍軍の生命や進行中または将来の作戦の安全を守るために、あらゆるレベルの司令部で作戦保全を必要とする軍事的任務とのバランスをとる必要がある。

　　軍事作戦のスピード、作戦保安に関する懸念、そして国民の注目を集めるために競い合う、他のさまざまな情報ソース数は、統合軍司令官が多様な社会に対して一般メディアや他の情報ソースに負けないスピードで情報提供するための作業を困難にしている。インターネットにアクセスできる人なら誰でも、事実関係を検証することなく情報を共有し、画像や映像などのビジュアル情報を提供することができるため、メディアと国民に正確に情報を伝えるための米軍の取り組みはさらに複雑なものとなっている。

　　統合軍司令官と広報官は、広報と視聴覚情報の要件およびそれらの情報を適時に入手・利用する方法を確定するため、任務内容を評価すべきである。広報計画には、事象が発生してからそれに関する情報が共有できるまでのタイムラグを短縮するための検討が必要である

　情報環境とは、情報を収集し、処理し、普及させ、あるいは活動する個人、組織、システムの集合体である。

　　広報は、統合軍の活動に関する事実を積極的に伝えることで、統合軍司令官が情報環境、特に国民の支持にインパクトを与えられるよう補佐する。統合軍は、すべてのメッセージを調整しなければならない。こうしたメッセージは、取り組みの統一性を維持し、氾濫する情報環境の中で際立つようにパートナー国のメッセージと継続的に連携して統合されなければならない。

広報 (PA) の役割

広報官は、
- 司令官の主要なスポークスマンであり、上級広報アドバイザーであり、個人的なスタッフである。
- リーダーへの助言
- 広報活動やコミュニケーション活動を主導する。
- 指揮官の意向をサポートする。
- コミュニケーションの統合と整合性を図るための主要な調整役となる。
- コミュニティと要人に対するエンゲージメント (Key Leader Engagement) をサポートする。

広報の基礎

広報の基本はつぎのとおり。
- 真実を伝える。
- タイムリーな情報を提供する。
- 情報源の安全性を確保する。
- すべてのレベルで一貫した情報を提供する。
- 国防総省のメッセージを伝える。

広報と司令官コミュニケーション・シンクロナイゼーション

統合軍司令官は司令官コミュニケーション・シンクロナイゼーション（同期化）プロセスを利用して、テーマ、メッセージ、画像、行動（計画、展開、作戦など）を調整し整合化させることが重要である。同プロセスは、統合部隊の任務に関するコミュニケーションを、より広範な国家戦略のストーリーと整合させるものである。統合軍司令官は、誰が司令部の司令官コミュニケーション・シンクロナイゼーショ

ン・プロセスを主導するかを決めるべきであるが、通常は広報部門が
担当する。

責任と連携

　国防総省は、正確でタイムリーな情報、視聴覚情報および活動に関す
る明確な説明を社会に提供する。情報源が多様化するなかでも、国内外
のオーディエンスとの直接的なコミュニケーションは、依然として従来
のマスメディアが主要な手段である。

　オーディエンスは広範であり、マスメディアを通じてアプローチする
のが最善であるが、ステークホルダーや主要な市民に対して広報官は、
対面コミュニケーション、極めて特定のチャンネル（例：電子メール、
特定の新聞やラジオ局）、または特定の一般市民に効率よく届くように
統合軍が準備した特別なコミュニケーション・プロダクトによって、よ
り直接的にアプローチし、狭範かつ明確に定義されたグループに対して
情報を提供する。

　また、マスコミュニケーション・チャンネルの仲介効果を排除するこ
とで、統合軍司令官はメッセージを意図したとおりに、ステークホルダ
ーや要人に正しく理解してもらえる可能性を高めることができる。

　具体的項目はつぎのとおり。

　●インテリジェンス・情報

　　広報は、情報の提供者であると同時に情報の消費者でもある。情報
　の提供者として、広報のメディア分析とニュースの要約は、情報アナ
　リストによる社会文化的分析に役立てることができる。情報の消費者
　として広報はメディア分析を計画し、強化するために情報プロダクト
　を利用する。

　●視聴覚情報（Visual Information）

　　視覚情報機能は、さまざまな直接または二次的な情報源から得られ
　る広範なイメージ・プロダクトを表し、それらは多くの場合、広報に

よる直接的なコントロールの対象外である。

●情報作戦（Information Operation）
　情報作戦とは、軍事作戦中に他の作戦系統と連携して情報関連能力を統合的に活用し、敵対国および潜在的敵対国の意思決定に影響を与え、混乱させ、攪乱し、またはその意思決定を奪取する一方、自国の意思決定を保護することである。

●米国政府の他省庁との連携
　戦闘部隊指揮官は、国民による事実関係の理解に影響を与える行動や情報を持つ政府諸機関のパートナーとともに広報の場で活動する。

●政府内組織（IGO）および非政府組織（NGO）
　政府内組織やNGOとの緊密な調整も、広報の重要な任務である。

●ホスト国（Host Nation）
　広報計画担当者は、広報ガイダンス（Public Affair Guidance）に反映すべき現地の問題や関心事項を把握するために、適宜ホスト国政府と話し合いを持つべきである。

●多国籍パートナー
　米軍が単独で国際危機を解決することは稀であるため、広報計画には多国籍パートナーが参加する可能性を反映すべきである。

統合作戦における広報

広報の機能

　広報の機能は指揮官を支援し、任務目標を達成することに重点を置

いた広範なコミュニケーション・プロセスの一部である。広報の機能には、統合軍司令官と幕僚への助言の提供や、広報担当者への助言が含まれる。また、広報の訓練、研究、計画および評価については、コミュニケーション・プロダクトの制作および普及、一般市民とのコミュニケーション、そして統合作戦計画プロセスへの広報および視聴覚情報の統合などがある。

広報計画

　広報は、制約と抑制の検討、計画された行動の潜在的な意図的・非意図的結果の見極め、さまざまな文化的背景における情報の流れの評価など、作戦計画に情報を提供し、これに参画する。

　支援コミュニケーション計画は、上位司令部の広報ガイダンスとメッセージングを強調し、コミュニケーションの問題や機会を評価し、主要な人物やコミュニティを特定・区分し、指揮・任務目標を支えるコミュニケーション目標を定め、これらの目標を達成するための測定可能な目標を策定し、情勢と望ましい結果に適したコミュニケーション活動を行なう。広報担当者は、計画プロセス全体を通じてコミュニケーションの同期化を図り、整合性を最大化する。

業務の遂行

　広報スタッフは以下の目的で組織される。
- 司令官に対する広報の助言と支援を実施
- 作戦の分析、計画、実行および評価への参加
- 適用されるすべての機能横断的なスタッフ組織（例：委員会、センター、ユニット）への参画
- コミュニケーション・ガイダンスとプランの研究、構築、調整
- コミュニケーション活動の実施と評価
- 米軍の活動に関するタイムリーで正確な情報発信

- メディアや一般からの問い合わせに対応
- 作戦における情報と広報の役割について統合軍司令官とスタッフを教育
- 作戦地域内のコミュニティの関与を支援するプログラムを整備

アセスメント・評価

　広報の評価は、指揮官がコントロールできない作戦環境下での影響を特定、測定、評価することに主眼が置かれているが、計画プロセスの早期統合によって構築された首尾一貫した包括的な指揮官コミュニケーション・シンクロナイゼーションを通じて効果を発揮することができる。

　また、各種のオープンソースや機密情報収集源を用いた戦術的な広報プロダクトや広報活動に関するメディア分析、またはその評価は情報環境評価のアップデートを可能にする。

国土防衛作戦における統合広報

　国防総省の広報は国家対応フレームワーク（NRF：National Response Flamework）にある不測事態緊急通信方針と手順に関するガイダンスに従って運営されている。

　国家対応フレームワークの下で、国土安全保障省は連邦公共通信のための調整機関であり、緊急支援機能＃15（広報）の活性化のための責任がある。

　国防総省は通常、支援機関として行動する。国防総省広報は独自の情報を発表し、視聴覚情報についてはメディアに情報を提供するが、一貫したメッセージを確保し、機密情報の公開を避けるために主要機関または統合情報センターのどちらかとプロダクトを調整する必要がある。

　民間当局への国防支援活動中、戦闘部隊司令部の広報担当者は、連邦

政府および影響を受ける州、地方および部族（ネイティブ・アメリカン
の連邦公認部族）の当局間で、重要かつタイムリーな（たとえば「速
報」）事態情報を伝送・交換するための国家緊急事態通信会議回線をモ
ニタリングしている。

視聴覚情報（Visual Information）

　視聴覚情報（Visual Information）は、音声付きまたは音声なしの映像
や画像といった視聴覚のメディアであり、コミュニケーションのシンク
ロナイズ、指揮情報、地域社会との関係、パブリック・ディプロマシ
ー、作戦計画、意思決定および訓練を支援するために用いられる軍事情
報の視覚化された集合体である。

　視聴覚情報は、公式記録のために軍事作戦および事態の法的、歴史的
資料を提供する。また、視聴覚情報は、直接的な情報源と派生的な情報
源の2つからもたらされる。

　直接的な情報源とは、特別な部隊、特別な訓練を受けた要員およびさ
まざまなコミュニケーションを行なう要員が配置された展開可能な部隊
が支援を実施する統合軍司令官のためにさまざまな情報を収集し、公式
のメディア・プロダクトを制作する。こうした部隊は米軍内において組
織編成され、訓練および装備化されている。

　視聴覚情報の派生的情報源には、画像・映像を収集する有人、無人お
よび遠隔操縦のプラットフォームに搭載されたセンサーが含まれる。こ
れには、情報収集プラットフォーム、兵器システムビデオおよび光学シ
ステムから取得・処理された画像が含まれる。

　また、ニュース記事、プレスリリース、記者会見などの一般向け情報
とは異なり、視聴覚情報は発生した出来事を記録し、軍事作戦、演習、
およびそれらの活動を記録する。視聴覚情報は国防総省に記録を提供
し、主要なオーディエンスにフィルターを通さない視点を伝えることが
できる。

さらに視聴覚情報は、統合広報のテーマとメッセージを支援するための視覚的コンテクストによって、米軍の情報活動を強化する。視聴覚情報はプランニングのための情報を提供し、国民や社会に対する情報提供を補助し、国民世論の支持を維持し、部隊や隊員の士気を向上させる。

　統合軍司令官と広報官は、指揮官の重要な情報要件への対応を支援するため、作戦保全と対外的な情報公開に合致した視聴覚情報を作成し、処理、伝送、公開すべきである。

　視聴覚情報プロダクトは、作戦保全において特別な課題をもたらすことがある。具体的には作戦保全を維持することと、映像や画像をタイムリーに公開することのバランスをとる必要性である。たとえば軍事施設、戦術、技術、手順の写真やビデオは、敵対勢力に実用的な情報を提供する可能性があり、作戦保全の観点からは友軍に関する重要な情報を敵対勢力に与えないようにする必要がある。

　一方で、作戦保全上の理由によって軍事作戦中の視聴覚情報の取得を妨げてはならない。視覚的情報の資料化により、軍事作戦に関する証拠を保存することができ、映像や画像をいつ公開するかについて裁量権を持つことは、作戦保安を向上させる。

結　言

　本書は、統合作戦における広報活動を計画、実行、評価するためのドクトリンを提示するものである。

第1章　広報（PA）の概要

> 「我々の努力を明確かつ社会に対して説明できないとき、我々はテロリストのプロパガンダと国際的な疑惑に直面することになります。そして我々とともにある国々や国民との正当性を侵食し、我々の政府への理解度を減少させてしまうのです」（バラク・オバマ大統領、2014年米国陸軍士官学校卒業式でのスピーチ）

1. イントロダクション

a. 広報（PA：Public Affairs）の理念と原則は、軍事作戦の全範囲に適用される。広報は指揮官の責任であり、自分の指揮・監督するグループ以外のスタッフや部門に業務を委任したり、従属させたりすべきではない。広報活動によって社会に伝達される情報は何よりも正確であることが重要である。

b. アメリカ合衆国軍（米軍）は、軍に所属するメンバーや米国民とコミュニケーションを図る義務があり、そして国際社会とコミュニケーションを図ることは米国の国益に適う。これは、国内外に正確な情報を積極的に発信することは、自らの統合作戦の状況を正確に把握することになり、軍事作戦に関する情報はその相乗効果によって国内や国際社会における理解を促進する成果につながる。さらに、この相乗効果は敵対する国家や組織などのプロパガンダを弱体化するとともに、国家レベル、戦略レベル、作戦レベルでの目的達成に貢献することができる。

c. 過去20年間に、情報環境は劇的な変化が生じた。特筆すべきは、国民

に影響を与える主要な声は、もはや従来のマスメディアだけではなくなったことである。情報源が豊富になり、スマートフォン、デジタルカメラ、ビデオチャット、ソーシャルメディア、企業などの最新技術と相まって情報が多元化している。

　情報は瞬時に昼夜を問わず世界中を駆けめぐるため、広報の担当者は事実関係、データ、出来事の構造、発信情報に有意性を持たせるため、テーマとメッセージ内容を迅速に吟味、整理、検討して発信することが不可欠となる。テーマとメッセージの戦略的な調整と同期は、情報環境全体における発信情報の統一性を確保するために重要なポイントになる。

d. これらのツールは、米軍にマスメディアを介さずに多様なオーディエンスに接触する機能を提供し、オーディエンスとの会話に参加する機会（単にメッセージを伝えるだけではない）を生み出すことができる。双方向の会話は、より高い透明性と明瞭性をもたらす。統合作戦は、友好的、中立的、敵対的なオーディエンスに対応する個別のコミュニケーションによってサポートされることになる。多くの場合、これらのオーディエンスは、米軍の意見に耳を傾け、米軍に耳を傾けてもらうことを望んでいる。

　広報の担当者は、特定の市民やさまざまな社会コミュニティを対象にコミュニケーション活動を行なう。現代のコミュニケーションのスピードと複数のオーディエンスの多様性は、コミュニケーションを迅速かつ機敏にシンクロさせることの重要性を高めている。

e. アメリカ合衆国憲法修正第１条は報道の自由を保障しているが、国防総省内では、この権利について考慮しなければならないこととして、統合軍や多国籍軍人の生命や進行中または将来の作戦の安全を確保することがある。このために、あらゆるレベルにおける司令部において、作戦保全（OPSEC：Operations Security）を必要とする軍事行動において、報道の自由とのバランスをとる必要がある。

この相反する義務と目標が、時として報道するメディアと作戦の現場にいる部隊間で摩擦を生じてきた。1974年のプライバシー法は、特定の個人情報をメディアに公開することを禁じているが、個人がソーシャルメディアに自分に関する情報を公開することは禁じていない。また個人を特定できる情報の保護には厳しい制約があり、個人を特定できる情報が不用意に公開された場合には、厳しい報告義務がある。

f. 軍事作戦の進行速度、作戦保全に関する懸念事項および国民に注意を向けてもらう際に競合する他の情報ソース数とその多様性は、一般メディアや多様な情報ソースと同じスピードで情報発信しなければならない統合軍司令官（JFC：Joint Force Commander）が取り組まなければならない仕事を複雑にしている。

　インターネットにアクセスできる人なら誰でも、事実関係を検証することなく情報を共有し、グラフィックなビジュアル、すなわち映像や画像を提供することができるため、メディアや国民に対して正確に情報を伝える必要のある軍側の努力はさらに複雑なものとなっている。

　統合軍司令官と広報担当官（PAO：Public Affairs Officer）は、広報と視聴覚情報（VI：Visual Information　画像／映像）の要件およびそれらによって生み出されたものをタイムリーに入手し、その情報を必要とする部門に転送する手段を的確に確立するために、任務を評価する必要がある。具体的には、広報計画では事象が発生してから、それに関する情報が必要部門や機関と共有できるまでのタイムラグを短縮するための配慮が必要であり、重要となる。

g. 一般市民は、国防総省の公式および非公式の情報源から、軍事的な活動や行動に関する情報を得ることができる（例：軍人が流した情報、一般市民が流した情報、マスコミが流した情報、米国の利益に敵対する団体が流した情報など）。情報源、意図、配布方法にかかわらず、パブリック・ドメイン（社会的・公的な領域）にある情報は、作戦目的の達成に貢献するか、あるいは損なうかのいずれかである。そして正しい公式

情報は、国益と政策の推進に有利な状況の創出、強化、維持に役立ち、非公式、誤報、敵対的な情報源からの悪影響を軽減することができる。

h. 広報は司令部の責任である。米国や海外の識者との公式なコミュニケーションは、作戦環境（OE：Operational Environment）に大きな影響を与える。効果的な広報は、指揮官が重要な関係を社会との間に築き、維持するための重要な手段である。

i. 統合軍の駐留や活動に対する米国民の支持は、さまざまに変化する可能性がある。広報官は他の幕僚と協力して、情報環境を迅速かつ正確に評価し、司令官に有益なガイダンスと行動方針を提供できなければならない。こうした評価報告によって、指揮官は進行中の作戦について関係者に周知させることができ、リーダーシップを発揮することができる。

2. 広報（PA：Public Affairs）と作戦環境

a. 全般概要

　一般公開されている情報は、作戦環境に影響を与える。指揮官はさまざまな友軍、敵軍、敵対国、中立国の行動、画像、発言などが、計画中や進行中の作戦にどのような影響を与えるかを慎重に評価する必要がある。広報は、さまざまな人々が異なる情報を必要としていることを理解し、さまざまな情報提供者や状況報告の担当部門や担当者と緊密に連携して、メッセージの一貫性と内容の正確性を確保することが必要である。統合軍の活動に関する事実を積極的に伝え、統合軍司令部は情報環境、特に国民からの支持に影響を与えるものを重視しつつ、メッセージのすべてについてその事実関係、関係各部との情報共有、優先順位、作戦環境への影響、作戦保全などについて調整しなければならない。
　さらに情報発信作業の中で統一性を維持し、飽和状態の情報環境の中

において継続的な調整能力を維持するためには、パートナー国のメッセージと統合する必要がある。

　情報環境とは、情報を収集し、処理し、普及させ、または行動する個人、組織およびシステムの集合体である。

b. 社会の認識

（1）知覚の現実化

　意思決定者、リーダー、その他の個人の認識や態度に対する第一印象を過小評価することはできない。

　第一印象は通常、人物に関する認識や判断に影響を与え、それがその後の情報処理に影響を与える。さらに第一印象と異なる情報は完全に否定されることもある。敵や敵対勢力はこれを利用し、我々サイドが詳細を確認し、社会に対して真実を伝える前に、嘘や誤解を招くような情報を流布することが多い。また、最初に情報を提示した側がその文脈を設定し、世論を形成することが多い。正統性と社会的信用を維持するためには、正確な情報を得ることが非常に重要で、情報および視聴覚情報を最初に発信することは、自己の正当性の理解と国民の信頼を維持するうえで極めて重要である。

　また迅速で正確な情報発信によって正当性を維持することは、敵のプロパガンダを解除し、敵がネガティブな情報を友軍に利用しようとする試みを打ち砕くことができる。一方で、統合軍司令部は、最も正確かつ国家戦略、軍事戦略の文脈に適合した情報を公開するには、広報活動を適切なタイミングで実行することが必要であり、これには時間的制約が常につきまとうことから、ある程度のリスクを負う覚悟が必要である。

（2）適時性と反復性

　適時性は、ニュースバリューのある情報の重要な要素である。正確で有用な情報をタイムリーに提供することで、信頼性と関連性が高まる。また情報にインパクトを与えるには、視聴者がタイムリーに、何度も、

そして複数の情報源から情報を受け取る必要がある。継続的に社会との関わり合いを維持することで、戦略的な目標達成への行程を支援することができ、作戦目標を達成し、成功を収める可能性を最も高くする。

（3）文化的配慮

　統合軍司令官の幕僚と広報スタッフは、メッセージの受信と理解を高めるために、誰とコミュニケーションをとっているかを常に把握し、理解していなければならない。

　ニュースは、その社会の価値観や文化体系を信奉する人たちによって作られる。ニュースメディアの報道は必ずしも現実を反映しているとは限らないことにも注意を要する。彼らが、事象をどのような視点や切り口で取り上げ、どのように表現するのか。どのような情報アイテムを選択し、再構成し、現実の枠にはめて報道しているのか。最新の状況だけでなく、彼らの報道内容の過去からの累積についても分析が重要である。

　また統合軍司令官とその幕僚および広報官は広報計画を立てる際に、ニュースや情報の表現が国民の認識にどのような影響を与えるかを予測するために、文化的な分野や情緒的な反応を調査し、検討しなければならない。統合軍や敵対勢力の行動が世論に与える影響を事後に緩和しようとしても、効果がないことが多い。

（4）プロパガンダの影響

　プロパガンダとは、スポンサー（依頼主）に利益をもたらすためにあらゆる集団の意見、感情、態度、または行動に影響を与えるように情報計画を作成し、本質的にスポンサーの意図する恣意的な内容を、対象とする集団や個人が好意的に理解し、行動することを招くために実施されるあらゆる形態のコミュニケーションである。

　ただし、すべてのプロパガンダが誤解を招くもの、あるいはまったくの嘘であると決めつけるべきではない。プロパガンダという言葉は一般に嘘や欺瞞を意味するが、敵や敵対勢力のプロパガンダが、実際には正

直で率直なものである場合がある。プロパガンダでは、ニュース・バリューがある情報を扱うので説得力がある。多くの人は紛争や暴力に惹きつけられる。敵や敵対勢力は、紛争や暴力の報道を利用して対象とする社会の世論に影響を与え、彼らの目的を推進し、当該社会側における理解と秩序を維持するさまざまな努力の効果を最小にする。敵がプロパガンダで利用する可能性のある事象を予測することで、機先を制する先制的な情報公開によって、そのプロパガンダの価値を軽減することができる。作戦行動や作戦保全の必要性から情報公開に制限がある場合や、先制的に情報公開ができない場合、敵のプロパガンダに対抗するために、正確な情報を迅速に対応できるよう準備しておくことが重要である。

　特に視聴覚情報を適時に使用することで、敵のプロパガンダに効果的に対抗できることが多い。

（5）複雑化するメディア環境

　特定の視聴者が情報を得るためのメディアの種類と多様性は、その視聴者とのコミュニケーション効果に影響を与える。

　インターネットやソーシャルメディアが出現する以前は、政府や利益団体は、国民がアクセスできるメディアの数が限られていたため、より

　「感情移入しやすい戦争の写真は、エジプトの視聴者に大きな衝撃を与えた。引き裂かれたイラク人の死体があちこちに散乱し、流血し、アラブの都市や人口密集地が破壊されている写真を見て、エジプトの家族は感情的になり、暴力に対する激怒、嫌悪、憤りの波動を表現した。サダム・フセインの銅像にアメリカの国旗がかかっている映像は、何千万人ものアラブの視聴者に伝えられ、アラブの兄弟に対する屈辱感やアメリカ帝国主義への恐怖を助長させた。これは、国境を越えた衛星放送の威力を示す好例である。一人の兵士のジェスチャーが、地域全体を驚嘆の渦に巻き込んだのだ」（フセイン・アミン、シニアエディター『トランスナショナル放送研究 アラブ世界』第10号（2003年春夏）に掲載された「戦争を見る」より）

容易に国民の認識に影響を与え、特定の出来事について一般的に信じられている筋書きを形成することができた。

　しかし、今日、特定の視点に特化したメディア・プラットフォームが普及し、これらのグループが視聴者に影響を与える能力は劇的に低下している。このようにメディア環境が細分化されたことで、複数の相反するナラティブが共存するようになり、好ましくないナラティブや「ミーム」と呼ばれるSNSプラットフォームを通してインターネット上で広がる考えや行動、イメージ、スタイルを「打ち負かす」ことが不可能ではないにしても、困難になっている。

　このような環境において、組織がオーディエンス（視聴者）に影響を与える能力は複雑化し、これまでエンゲージメント戦略を形成してきた従来の前提は、もはや有効でない場合が多くなっている。

　従来、広報の実務者が世間の反応に左右されることなく、無視してきた突拍子もない批判も、今では、それ自体が起爆剤となり、対処しなければならない場合が多くなっている。

c. 軍事作戦領域にわたる広報

　広報は、図1-1に示すように、軍事作戦のあらゆる範囲に及ぶ軍事的活動を支援する。これは、公益情報の管理と提供を支援し、その他のコミュニケーション分野、政府機関内や任務遂行に関わる協力組織など、他の広報部門との同期化を図り、統一的な広報活動を促進するものである。

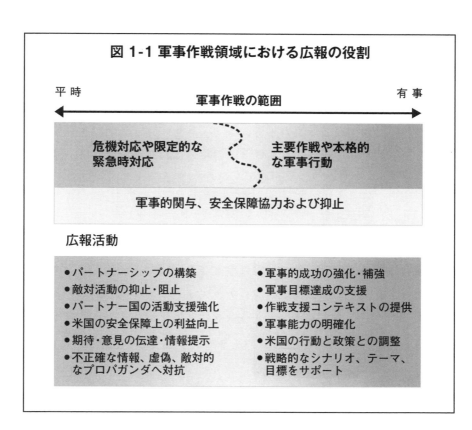

図1-1 軍事作戦領域における広報の役割

平時　　　　　　　　軍事作戦の範囲　　　　　　　　有事

危機対応や限定的な
緊急時対応

主要作戦や本格的
な軍事行動

軍事的関与、安全保障協力および抑止

広報活動

- パートナーシップの構築
- 敵対活動の抑止・阻止
- パートナー国の活動支援強化
- 米国の安全保障上の利益向上
- 期待・意見の伝達・情報提示
- 不正確な情報、虚偽、敵対的なプロパガンダへ対抗

- 軍事的成功の強化・補強
- 軍事目標達成の支援
- 作戦支援コンテキストの提供
- 軍事能力の明確化
- 米国の行動と政策との調整
- 戦略的なシナリオ、テーマ、目標をサポート

3. 広報の役割

a. 先任スポークスマンおよびコミュニケーション・アドバイザー

　広報官（PAO）は司令官の先任スポークスマンであり、上級広報アドバイザーであり、個人スタッフの1人である。広報官は、指揮官、幕僚、下級指揮官、支援指揮官に対しタイムリーで真実かつ正確な情報、視聴覚情報、状況を提供し、国防総省の方針と指針に従って、報道機関や一般市民に対し迅速に情報を公開するための知識、技能、資源、権限を有していなければならない。広報官と広報スタッフは、計画、意思決

定、訓練、装備、作戦の実行に加え、広報と通信活動をするすべてのレベルの指揮・命令系統に統合し、メッセージの整合性を確保する。広報官と広報スタッフは、情報作戦や戦略的コミュニケーション計画担当者とも連携しなければならない。

　また各種計画担当者と協力して、コミュニケーション活動を調整し、不具合を解消しなければならない。このため広報スタッフには、適切なセキュリティ・クリアランスが必要となる。

b. リーダーへの助言

　広報官は軍事作戦や活動が世論に与えうる影響を予測して統合軍司令官に助言することや、統合軍司令官がメディアやその他のチャンネルを通じてコミュニケーションができるように準備することが含まれる。また情報環境を分析し、国内外の世論を監視、解釈し、教訓を提供する。

c. 広報・コミュニケーション活動の主導

　広報官は、広報スタッフと広報活動を主導する。

d. 指揮官意図のサポート

　行動、イメージ、言葉のシンクロナイゼーションは、指揮官の意図と作戦コンセプトの成功に貢献する。広報は、信頼できる、確実な、タイムリーで正確な情報と視聴覚情報を内外の一般市民に継続的に提供することができる。この能力により広報は、米国の国家意思の低下、軍人の士気低下、友好国、特に米国の活動に対する世論を変えようとする動きなどを抑止することができる。国防総省の専門家は、指揮官の意図を効果的に支援するために、国防総省の方針とガイダンスに従って、米国民に対しさまざまな情報を迅速に公開するための知識、技能、資源、能力、権限を必要とする。

e. コミュニケーションの統合と調整の主要コーディネーター

　広報官は軍組織内において広報の主要な調整役として、コミュニケーションの統合と調整という重要な役割を果たす。公式情報を適時に発表することは、国益と政策の推進に有利な状況を作り出すとともに、それを強化し、維持することに役立つ。そして誤報と偽情報を軽減するのに役立つ。

f. 地域社会と主要なリーダーへの関与支援

　地域社会と主要なリーダーへの関与は、展開中および自国での統合軍司令官の作戦計画の重要な部分であり、公的および私的なコミュニケーション機会を促進することができる。

　広報官は、主要なリーダーへの関与を形成するのに役立つニュースについて司令官に提供する。リーダーは、メディアが主要なリーダーに関与しているかどうかについて知る必要があり、主要なリーダーとメディアの関係を利用することで、社会のさまざまな分野における鍵となる人物への公的メッセージを送る機会をどのように利用するのかを決定しなければならない。また主要なリーダーが発したコメントやその内容のフィードバックを統合軍司令官や広報計画担当者が共有することで、会議やイベントにおいて正しく状況を評価する機会を得ることができる。さらに広報官とそのスタッフは、主要なリーダーに関連するソーシャルメディアの活動情報と最新情報について、司令官に適時に報告する必要がある。そして、司令官は地域社会または主要なリーダーとの会合や行事が終了したならば、必要に応じて、会議の要約と裏付けとなる視聴覚情報をメディアに提供すべきである。

g. 効果的広報による効果

（1）士気と即応性の向上

　広報活動は、軍人、国防総省の職員およびその家族が、彼らに影響を与える政策、プログラムおよび作戦の正当性を説明することにより、彼らの役割をよりよく理解することを可能にする。また広報活動は以下を補助することができる。

　危機・有事への軍人の参加、作戦地域と自宅の生活状況、家族との別居期間、家族間の日常的なコミュニケーション不足、その他多くの要因が自宅と部隊内の士気と即応性に影響を与えることに対する不安や懸念を緩和することができる。

　さらに広報は社会が関心を持つ話題性のある問題について、適切で正当かつ迅速な情報を軍人やその家族などに提供することにより、メディアによる取材やテレビ出演などの準備を支援する必要がある。世界のメディアの関心がヒューマン・インタレスト・ストーリーに広がることにともない、軍事作戦が軍人とその家族の生活や生計に与える影響をメディアが取り上げる機会が増加していることから、彼らの日常活動への支援も含まれる。具体的には配偶者や子供を含む家族が取材対象となることがあり、これは部隊の士気に直接的、間接的に影響を与える。この支援にはしっかりと準備をした対応計画と支援体制が必要であり、司令部の広報計画の中に組み入れる必要がある。

（2）社会からの信頼と支持

　広報は、国家の安全保障に対する軍隊に対する国民の信頼と理解を構築する。また広報は米国民にミリタリーの役割と任務の正当性に関する情報を提供する。この情報は、軍事作戦への支持を維持するのに役立つものとなる。

（3）国際理解の促進

　統合軍司令官は、他の情報関連能力と連携して広報を実施し、以下の

ようなコミュニケーション方法を確立すべきである。世界各地、特に作戦関連地域の一般市民に対して、統合軍の作戦について情報を提供する。これは米国のシナリオを説明するとともに、この地域の統合軍に関する敵の潜在的な情報キャンペーンに対抗する機会を提供するものである。

（4）抑止力

　米国の軍事行動という確かな脅威は、敵対者の行動に対し効果的な抑止力となる。広報チームは、戦闘部隊指揮官が抑止の取り組みを計画することで、敵対勢力が選択可能な対応行動を暗示し、武力行使の必要性を回避させる可能性を生み出すことができる。

　広報は米国の軍事的目標と目的の正当性、敵対国の違法行為、国際的関心がなぜ重要か、敵対国が順守を拒否した場合の米国政府の軍事的行動についての意図などを明確に伝達するものとなる。さらに敵対国のプロパガンダは米国民の決意という重心が判明しているものを標的にすることが多い。敵対国のプロパガンダに対抗するための国防総省の取り組みは、米国民に敵対国による脅威の違法性を知らせると同時に、軍事的な努力を正統化することに重点を置いている。広報活動には、軍の展開準備、活動、戦力予測を強調し、司令官が紛争に備えて実際に行なっていることを国内、国際社会、敵対国の国民に示すことが含まれる。敵対国が紛争を抑止できない場合でも、統合軍の能力と決意に関する情報は、敵対国の計画と行動を米国にとって有利・有益なものに転嫁する可能性がある。

（5）制度的信頼性

　広報活動は、特定の任務、危機、またはその他の活動の活動前、活動間、活動後にわたって国防総省の信頼性を維持するために不可欠である。「最大限の開示、最小限の遅延」の原則に従うことで、情報公開は国防総省の評判を守り、維持し、必要な場合は修復するための重要な要素となる。また透明性の確保は、特に危機の際に国民の信頼を維持するために不可欠である。

4. 広報の基礎知識

a. 情報の原則

　国防総省は、国民、議会、報道機関が国家安全保障と国防戦略に関する事実を評価し理解できるように、タイムリーで正確な情報を提供する責任がある。また組織や民間人からの情報提供の要請には迅速に対応すべきである。

b. 広報の基本方針

　広報の原則は、通常、より効果的な関係をもたらし、統合軍司令官が効率的な広報活動や活動を行ない、メディアとの関係を構築・維持するのに役立つ。これらは国防総省の情報原則を補完し、最善の行為を記述するものである。この原則は、統合作戦の計画と実行のすべての段階で検討され、適用されなければならない。

（1）真実の伝達
　広報要員は、正確で事実に基づいた情報のみを発表する。
　広報活動の長期的な成功は、公式に発表される情報の完全性と信頼性にかかっている。国民を欺くことは、軍事的行動の正統性と信頼性を損なう。正確で信頼できる情報の提示は、軍への信頼と軍事作戦の正当性につながる。好ましくない情報を否定したり認めなかったりすると、メディアの憶測、隠蔽の認識、国民の信頼の低下につながる。これらの問題は、できるだけ早く、オープンに、そして正直に対処されるべきである。いったん個人または部隊が不誠実であるということが社会的に認知されてしまうと、回復はほぼ不可能となる。

（2）タイムリーな情報を提供
　指揮官は軍事作戦に関するタイムリーで、事実に基づき、関係各部と

調整され、内容について了解を得ている情報および視聴覚情報を発表する用意がなければならない。パブリック・ドメインにリリースされた情報と視聴覚情報は、友好国、中立国、敵対国の意思決定サイクルと認識に強力な影響を与える。

　タイムリーで正確な情報と視聴覚情報を発表する広報官は、しばしばメディアにとって好ましい情報源となることから、情報発表のための迅速なプロセスを確立する必要がある。

　視聴覚情報は、文字・テキスト、音声、言葉に画像（グラフィック、静止画、ビデオ）を加え、国民に軍事作戦を知らせることで、情勢や現場の状況についての相互理解を促進するコミュニケーションを強化する。さらに視聴覚情報は他の広報機能を支援し、ポスターなどの展示物やビデオ制作を通じ単独で機能する。そして、重要事項として視聴覚情報への取り組み、特に画像の収集は作戦計画と同期させ、その計画内に統合する必要がある。

　ソーシャルメディアは国防総省の作戦に不可欠な要素であり、広報官とスタッフには、司令官が適切なプラットフォームを最大限に活用できるよう支援することが求められる。ソーシャルメディアは、ダイナミックで急速に変化する環境であるため適宜に技術的なシステムの変更や進歩、ソーシャルメディアの空間でのトレンドなどについて学習し、適応することが重要である。

（3）情報ソースにおけるセキュリティの実践

　すべての国防総省職員と関連企業・請負業者は、機密情報を保護する責任がある。国防総省のメンバーは以下の情報を開示すべきではない。作戦保全のプロセスで特定された重要な情報をメディアのインタビューやソーシャルメディア、地域社会との関わりを通して公開してはならない。公式情報は以下のように承認されなければならない。

　公式情報は、一般に公開される前に公表の承認を受けるべきである。同様に、メディアによるインタビューを受けた者にとっても重要である。インタビューを受けた者は、自分の発言がどのように使用されるか

を理解することが重要である。

インタビューには、次の4つのカテゴリーがある。オン・ザ・レコード、バックグラウンド、ディープ・バックグランド、オフ・ザ・レコードの4種類である。

（a）オン・ザ・レコード・インタビュー

インタビューや取材で提供される情報は、氏名によって情報源が特定されている。これは、メディアとの関わりにおいて好ましいタイプである。

（b）バックグラウンドおよびディープ・バックグラウンド・インタビュー

バックグラウンド・インタビューでは、情報は軍関係者に帰属するが、具体的な氏名によるものではない。ディープ・バックグラウンドインタビューでは、個人と情報源の両方が情報に帰属するものではないが、情報は使用することができる。これらのインタビューの意図は、特に適切な文脈で「記録された」情報が掲載されることを支援するものである。

これらのインタビューを行なう場合、広報官はインタビューの基本ルールの一部として、帰属レベルを設定することが重要である。インタビュー中やインタビュー後に、記者が特定のコメントについてより高い帰属レベルを要求することは珍しいことではない。そこで広報官とインタビュー対象者は、以下のことを決定する必要がある。

インタビュー内容の部分については、より高い情報ソースのレベルであるかについて判断し、その提供情報がインタビューに対して適切なレベルや内容であるかを判断するのは、広報官とインタビュー対象者となる。インタビューがより高度な情報内容（情報の背景を説明するためにより深い背景情報の提示や、社会領域において記録されてしまう背景情報）を提示することが適切かどうかを判断するのも広報官とインタビュー対象者となる。

（c）オフ・ザ・レコード・インタビュー

　オフレコ・インタビューで提供された情報は、いかなる種類の情報ソースであっても、直接的に報道に使用することはできない。

　オフレコ・インタビューはある対象や出来事について、いかなるレベルに帰属する情報よりも重要であったり、大きな文脈を記者に伝える必要がある場合は使用される。

　また、オフレコ・インタビューは、会話から直接レポートすることができないため、取材者がインタビュー内容の信頼性、信憑性を損なう可能性があり、これは広報官にとってリスクが高くなることから取材者には好まれない。

　しかし、取材記者に対してより重大なメッセージや情報内容の本質について正しく理解してもらうことで、誤解を避けたい場合、かつその情報を直接記事やニュースとして公表しないことが保証されている場合、オフレコのインタビューが正当化される場合がある。オフレコ・インタビューを行なう記者は、より制約された基本ルールに同意し、一方の広報官と取材を受ける側はより大きな制約を正当化するメッセージを提供することについて、記者を信頼しなければならない。記者がオフレコ・インタビューによって課された制約を守らないのではないかという疑念がある場合、そのようなインタビューは勧奨されない。

　オフレコ・インタビューについては、経験豊富な広報官が取材を思慮深く、戦略的に扱う場合、正確な報道を促進する有用なツールとなる。

（4）あらゆるレベルでの一貫した情報を提供

　しばしば国民は、さまざまなレベルの国防総省の公式情報源から同時に情報を受け取る。これらの情報が矛盾する場合、国防総省の信頼性は危険にさらされる。情報が公開される前に、適用される情報はすべてのガイダンスに準拠していなければならない。

（5）国防総省のストーリー伝達

　指揮官は、特定の軍人や国防総省の職員を公式のスポークス・パーソンとして指名するが、共有するのに適切な情報を提供することにより、すべての軍人や文民職員が国防総省のシナリオやストーリーを語るように教育を奨励する必要がある。インタビューや家族・友人との会話で自信と献身を示すことで、国防総省職員は軍の作戦と活動に対する国民の理解を促進することができる。またソーシャルメディアは、軍人がストーリーを語るための一般的な手段となっており、これは公式の情報公開の状況を検証する重要な手段となりうる。

　ソーシャルメディアの使用は、すべての関連する国防総省と業務のガイダンスに準拠し、作戦保全、作戦リスクおよびプライバシーを考慮すべきである。また統合軍司令官はさまざまな一般市民とコミュニケーションをとるためのもう1つの手段として、ソーシャルメディアを利用する。地元や地域の言語による公式・個人的なブログは、地元住民に情報を届けるのに役立つかもしれないが、作戦保全のリスクもあり、慎重に監視する必要がある。

c.オーディエンス、ステークホルダー、パブリック

　広報、マーケティング、社会科学の研究者は、「オーディエンス（視聴者）」「ステークホルダー（利害関係者）」「パブリック（一般市民）」という用語について、時に相反するさまざまな定義を持っている。統合軍はオーディエンスとコミュニケーションをとるが、ミッションの成功に影響を及ぼす可能性のあるステークホルダーやパブリックを特定し、彼らとコミュニケーションをとる能力も備えていなければならない。ステークホルダー、パブリックおよび情報環境に対する継続的な評価と査定は、効果的な統合軍の意思決定にとって重要である。ステークホルダー、パブリックおよび情報環境に対する継続的なアセスメントと評価は、統合軍の効果的な意思決定にとって重要である。

　図1-2は、オーディエンス、パブリックおよびステークホルダーの関

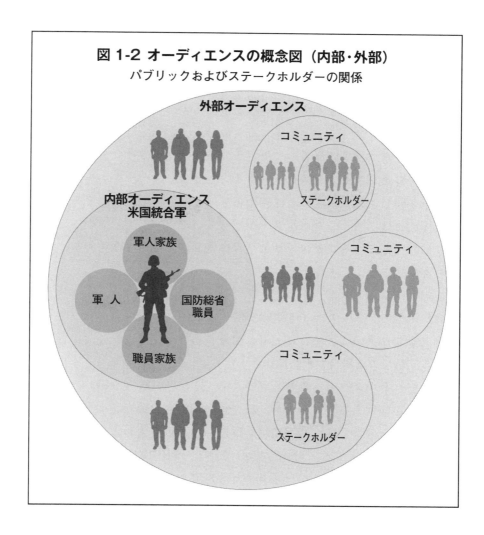

図 1-2 オーディエンスの概念図（内部・外部）
パブリックおよびステークホルダーの関係

外部オーディエンス

コミュニティ

ステークホルダー

内部オーディエンス
米国統合軍

軍人家族

軍人

国防総省
職員

職員家族

コミュニティ

コミュニティ

ステークホルダー

係を示したものである。

（1）オーディエンス（視聴者）

　オーディエンスとは、共通の特徴に基づき、広く、おおまかに定義された集団である。それは、関連する利害関係者を含む集団を定義する。オーディエンスに対する軍事コミュニケーションは一般的に一方通行であり、多くの場合、間接的でフィードバックがないものである。聴衆の例としては、米国民、軍人、国防総省職員、民間人、請負業者およびそ

の家族、海外のオーディエンスなどがある。また国際社会、ホスト国（統合軍駐留国：Host Nation）および地域社会、ならびに敵対国が含まれる。

　統合軍の作戦や政策立案担当者にとって、オーディエンスはコミュニケーション・アプローチを策定するための集団としてだけでなく、ステークホルダー（利害関係者）を決定し、パブリックや社会情勢を評価するための計画プロセスのスタートラインとなる。ステークホルダーは、統合軍と同じシステム、または統合軍を取り囲む環境の一部である。より具体的には、ステークホルダーが知っていること、感じていること、または行なっていることは、統合軍に影響を与える可能性があり、その逆もまた然りとなる。

（２）ステークホルダー（利害関係者）

　個人または集団は、統合軍の取り組みに影響を受ける、または影響を与える立場にある場合、利害関係者となる。

　ステークホルダーは、政府の重要人物、非政府組織（NGO）、軍事基地の外に住む個人などになるが、統合軍の作戦や政策立案担当者にとって利害関係者の特定は、情報環境の早期評価と軍計画およびその潜在的影響の理解を意味する。計画立案担当者は、利害関係者が統合軍の作戦、行動、成果に影響を受ける、または影響を受ける可能性がある範囲に基づいて、利害関係者とのコミュニケーションの必要性を評価する。

（３）パブリック（一般市民）

　パブリックとは、ステークホルダーである個人またはグループのうち、コミュニケーション活動を積極的に行なうようになった人たちを指す。パブリックは、ステークホルダーとは対照的に、統合部隊の活動中に発生することが多いが、ミッション開始前に存在することもある。

　パブリックは、統合軍の作戦に影響を与えようとする可能性があるため、特別な注意を払う必要がある。その例としては、ロビー活動グループ、敵対者、または現在、問題についてのコミュニケーションや行動を

積極的に求めているその他の利害関係者が挙げられる。軍の作戦や政策立案担当者にとって、これは次のことを意味する。

　多くの資源とコミュニケーション努力がより大きな割合を必要とするため、情報環境を継続的に評価し、パブリックの発展を確認すること。担当者は、パブリックの活動レベルに基づいて、パブリックとのコミュニケーションの必要性に優先順位をつける。さらに重要なことは、あるパブリックまたはステークホルダーが、別のパブリックの行動によって、統合軍がコミュニケーションをとる必要が生じる場合があることである。

　たとえば敵対勢力が統合軍の取り組みに関する偽情報を流そうとする場合、統合軍は別のパブリック（作戦地域の重要な現地指導者）とステークホルダー・グループ（展開部隊に実際に組み込まれている記者）の両方を特定したことがある。これにより、部隊は誤報に関して現地の指導者と記者の両方に連絡することが、時間と資源を最も有効に活用する方法であると判断することができたことがある。

d. 計画への影響

　本項の狙いは、広報の学者を作ることではなく、軍事計画の取り組みへの影響を説明することである。ステークホルダーとパブリックが存在するということは、広報と作戦計画担当者は、早期に情報環境を評価しなければならないということである。

　この評価は、利害関係者を特定し、限られた通信資源（リソース）を優先的に使用するのにも役立つ。パブリックは統合軍とコミュニケーションをとろうとするかもしれないが、必ずしもそうとは限らないため、評価作業はパブリックとその行動の傾向をうまく特定するために、広いネットワークを張らなければならない。

　また、統合作戦を十分に理解することで、広報実務者はステークホルダーを特定し、パブリックの発生を予測し、上級指揮官に助言を与え、限られたリソースの使用に優先順位をつけることができるのである。

共同作戦や国際的な環境では、広報の専門家と司令官の間で、「オーディエンス（視聴衆）」「パブリック（一般市民）」「ステークホルダー（利害関係者）」という用語を明確に理解することが、コミュニケーション活動全体にとって重要である。「オーディエンス」と「パブリック」という用語は「ステークホルダー」という用語と同義に使われる。また「ステークホルダー」という用語は「ターゲットオーディエンス」に対するコミュニケーション活動を計画する際に頻繁に使用される。

e. ナラティブ、テーマ、メッセージ

（1）ナラティブ
　ナラティブ（Narrative）とは、作戦の裏付けとなる短い物語で、作戦や状況をより深く理解し、文脈・メッセージを提供するために使用される。

（2）国家安全保障戦略におけるナラティブ
　（a）国家安全保障のナラティブは、主に国家安全保障戦略や国家軍事戦略のような戦略文書に明示されているように、広範な国家政策によって形成されている。より具体的な国家戦略は、国家安全保障会議（NSC）で策定され、関連省庁によって実行される。
　（b）あらゆる軍事作戦において、大統領またはNSCスタッフは、国家政策に合致した用語で事象を説明するための国家／戦略的なナラティブを作成することができる。このガイダンスは軍事計画担当者に伝えられ、作戦命令または他の戦略的ガイダンスの形で統合軍司令官に提供されるべきである。
　最終的には、作戦と通信の両方を国家戦略に合致させ、国家ナラティブと整合性のある軍事計画にする必要がある。

（3）相反するナラティブ

　責任担当地域（AOR：Area of Responsibility）全体および特定の作戦地域内での作戦中、すべてのレベル（国際的、国内的および作戦地域内）で優勢なナラティブを有利な条件で定義することに苦心することがある。敵のナラティブに優越し、敵側の魅力と信奉者を減少させ、それに取って代わるか、あるいは無関係にするために、米政府は紛争の理由と望ましい結果をすべての関係者に理解しやすく、受け入れやすい形で確立する必要がある。

　この例として、米国の南北戦争が挙げられる。北軍支持者にとってこの戦争は連合を維持するための戦争であり、北軍が南軍に勝利したことで、間違いなくこのナラティブが優勢になった。しかし、南軍にとっては、この戦争は北の侵略戦争であり、1世紀半以上前に南軍が敗北した

　戦争のナラティブは単なるナラティブ以上のものである。ナラティブというと文学的な響きがあるが、実はすべての戦略の基礎であり、その上に政策、レトリック、行動など、他のすべてが築かれるのである。戦争のナラティブは、戦争そのものの内面を照らし出すことができるため、それ自体を識別し、批判的に検討する必要がある。戦争のナラティブには3つの重要な役割がある。

　第一に、政策の組織的枠組みである。自明であり否定できないように見えるため、人々が容易に受け入れることのできる「真実」の連動した基盤がなければ、政策は存在し得ない。

　第二に、このナラティブがフレームワークとして機能するのは、まさにこのような実存的なビジョンを表しているからである。ナラティブが主張する「真理」は、文化的に分解することはもちろん、批判することさえ不可能である。

　第三に、議論の余地のない戦争の論理を提示した上で、ナラティブは、戦争がどのように論じられ、記述されるべきかについての正統な修辞学的ハンドブックとして実質的に機能するのである。（マイケル・ヴラホス「長い戦争：長引く紛争と敗戦の自己成就的予言」ナショナル・インタレスト 2006年9月5日）

にもかかわらず、そのような物語がいまだに米国の一部で広まっている。

　最近の例では、"Operation ENDURING FREEDOM"がある。アフガニスタン第2の都市カンダハル市内で突然爆発が起こり、多くの民間人が犠牲となったが、すぐにプレデター（無人機）の攻撃だと誤って報じられた。事実ではなかったが、数年後も地元の人々はこの犠牲者が多国籍軍の空爆によるものだと信じていた。

（4）支援するテーマとメッセージ

（a）テーマは国家安全保障会議（NSC）スタッフ、国務省、国防総省、その他の米政府省庁によって作成される。統合軍司令官は、任務と権限に適したテーマを策定することで、戦略的テーマを支援する。図1-3は、その一例として米韓連合軍が長期作戦計画にリンクした戦域戦略シナリオをどのように確立したかを示している。

　各指揮官レベルのテーマは、次の上位レベルのテーマを支援し、同時に統合軍の戦略的テーマも支援する必要がある。

（b）作戦レベルのテーマは、多くの場合、作戦の段階ごとに作成される。作戦テーマは、戦略テーマや永続的な国家的ナラティブと整合することで、局面ごとのテーマが矛盾したメッセージを発しているように見えるリスクを軽減することができる。

（c）メッセージは、特定の国民に合わせた情報を伝えることでテーマを支援し、また特定の時間、場所、通信手段で伝えるために調整する。メッセージはよりダイナミックであるが、指揮系統の上位部門や下位部門に求められる内容よりも永続的なテーマを常にサポートしなければならない。これによりメッセージはより動的で自由度が高いことから、統合軍の広報担当者や計画担当者は、パブリックへの情報発信をより迅速に行なうことができる。

（d）戦域と作戦のテーマは、作戦を担当する現場指揮官と米政府の戦略的テーマの中に位置づけられるべきである。作戦地域や作戦レベルのメッセージは、そのレベルのテーマもサポートしなければならない。これ

図 1-3 戦略的ナラティブとキャンペーンプランの連携例

不変のテーマ

> **承認された司令部の説明：**
> 米韓連合軍は地域の安全保障と安定、経済的繁栄を維持するために侵略を抑止し、韓国と米国の権益を防衛する。

> コマンドナラティブは在韓米軍作戦計画の永続的なテーマを推進するものである。どのようなトピックであっても、すべてのトーキングポイントはこれらの基本的なテーマの中に組み込まれている。

> 1. コマンドの焦点：「今夜戦え」はスローガン以上のものである。
> 2. 米国は韓国とダイナミックで二国間、地域的、世界的な範囲に及ぶ関係を結んでいる。
> 3. 永続的、機能的かつ変革された米軍のプレゼンスに支えられ、韓国を共同で防衛する。
> 4. 我々は米国省庁、同盟国、パートナー、USPACOM の戦略的同盟を支援する地域および多国籍防衛協力を強く推進する。韓国は北東アジアにおける安定、安全および経済的繁栄を維持するために主導的役割を担っている。

により国内外のオーディエンスに対する一貫したコミュニケーションが可能となり、戦略目標を支援することができる。

（5）国家レベルのナラティブ情報源

　国家レベルのナラティブ情報源として、大統領演説およびホワイトハウスのホームページ（www.whitehouse.gov）、国務長官の演説および国務省ホームページ（www.state.gov）、国防長官のスピーチと国防総省ホームページ（www.defense.gov）、統合参謀本部議長（CJCS）のスピーチと統合参謀本部ホームページ（www.jcs.mil）、戦闘指揮官のスピーチと戦闘部隊司令部および戦闘指揮官のホームページがある。

5. 広報（PA）と司令官コミュニケーション・シンク ロナイゼーション

a. 統合軍司令官は、テーマ、メッセージ、イメージ、行動（計画、展開、作戦など）を各部と調整し、整合・同期化するために、司令官コミュニケーション・シンクロナイゼーション（CCS：Commander's Communication Synchronization）プロセスを使用することができる。司令官コミュニケーション・シンクロナイゼーション・プロセスは、統合部隊の任務に関するコミュニケーションをより広範な国家戦略ナラティブと整合させるものである。統合軍司令官は、誰が司令部のコミュニケーション・シンクロナイズ・プロセスを主導するかを決めるべきであるが、通常は広報担当部門が担当する。

b. 司令官コミュニケーション・シンクロナイゼーション・プロセスは、国力のあらゆる手段と同期し調整されたプログラム、計画、テーマ、メッセージ、プロダクトを通じて、米政府の利益、政策、目標の達成に有利な状況を作り出し、強化し、それを維持するために、主要なオーディエンスを把握しコミュニケーションをとるために米政府がいかなる努力が必要であるのかについて焦点を当てるものである。

　米軍広報の主要な調整役である国防総省は、司令官コミュニケーション・シンクロナイゼーションのプロセスにおいて重要な役割を果たす。適時に発表される公式情報は、国益と政策の推進に有利な状況を作り、強化、維持し、非公式情報、誤報、プロパガンダを緩和するのに役立つ。

第2章　広報の責任と関係機関

> 「国民感情がすべてである。国民感情があれば、何事も失敗しないし、なければ何事も成功しない」（エイブラハム・リンカーン、イリノイ州オタワでのリンカーン・ダグラス討論会 1858年8月21日）

1. 概　要

a. 統合軍広報官は司令官の意図と作戦コンセプト（CONOPS：Concept of Operation）を支援するため、統合軍の広報活動および各種資源（リソース）を計画、調整、シンクロナイズする。広報官は、司令部の決定、行動、作戦が内外のステークホルダーや主要な国民の認識に与える影響について、統合軍司令官に助言する。

　統合軍広報官は、作戦全体の成功を支援するため、広報活動やイベントを計画、実施、評価する。統合軍広報官は、情報戦（IO：Information Operation）スタッフと協力し、外国の主要な一般市民の認識を評価するために必要な情報を作成し、その情報を作戦計画に統合する。

　広報官は、作戦の初期に司令官の意図を実行するため、十分に効果的な広報能力を発揮できるように計画しなければならない。

b. 国防総省は、正確でタイムリーな情報、視聴覚情報および活動に関する明確な説明を提供する。情報源が急増したとはいえ、国内外のオーディエンスと直接コミュニケーションするための主要な手段は、伝統的なメディアである。オーディエンスは広範囲であり、マスメディアを通じて情報を到達させることが最善であるが、広報官は選定され明確に定義されたグループ化されたステークホルダーや特定の市民に対して、特定

の方法（たとえば電子メール、特定の新聞、またはラジオ局）を通じて、直接、対面コミュニケーションなどによって、情報を提供することができる。また統合軍が特別に準備したコミュニケーション方法で情報を特定の市民に提供することもできる。

　マスコミュニケーション・チャンネルの媒介効果、情報ノイズを取り除くことで、統合軍司令官は、メッセージの真意をステークホルダーや主要な社会構成員に理解してもらえる可能性を高めることができる。

　また、インターネットは、世界中のオーディエンスと直接コミュニケーションをとるための多くの選択肢と課題を提供する。

（１）統合軍司令官は、情報技術やソーシャルメディアの変化に対応すべきである。情報はリアルタイムかつ低コストで収集・伝達することができる。インターネットは、しばしば国境に関係なく、世界中の視聴者に迅速かつ効率的なアクセスを提供する。敵対勢力はソーシャルメディアを巧みに操り、インターネットを悪用する。広報は、偏った、不完全な、あるいは事実と異なる情報に対し、迅速で、完全で、事実に基づいた、信頼できる情報を提供することができる。

（２）統合軍広報 スタッフは、作戦目標を達成し、不正確な情報や分析の悪影響を最小化し、プロパガンダ、偽情報、誤報に対抗するための計画を立てる。作戦保全（OPSEC）への配慮は、広報計画に統合される。広報活動は、統合作戦の各段階に組み入れられるべきである。作戦コンセプト（CONOPS）は、それぞれのメディア記者へのオープンアクセスを提供し、作戦保全に合致した形で、情報を広くかつ迅速に普及させるべきである。広報官はバランスのとれた作戦報道を促進する 環境を醸成すべきである。また司令官は広報官と協議のうえ国防総省の方針とガイダンスに従って、情報の迅速な公開を行なうべきである。

2. 責 任

a. 国防次官補（広報）

（1）統合、多国籍および特定の単一部隊の作戦に関する情報を公開する最初の情報源を指定し、できるだけ早く司令官に広報の適切な公開権限を委譲する。

（2）広報ガイダンス（PAG：Public Affairs Guidance）および広報付属書を承認する。

（3）必要に応じ、国防総省、ナショナル・メディアプールの配備を促進する。

（4）必要に応じ、国防総省の危機管理・戦時管理部門を活性化する。

（5）統合参謀本部議長、軍部、戦闘司令部、州兵、ホスト国および多国籍軍内の政治・軍事当局と平和維持政策を調整する。

（6）統合参謀本部議長からの警告、計画、警戒、展開、作戦実行命令における広報ガイダンスが、戦略的指針と意図に合致していることを確認する。

（7）作戦部隊へのメディア派遣プログラムを支援するため、国内外の公認メディアを定期的に訓練することもある。

（8）派兵された広報スタッフをメディア分析で支援する。必要に応じ、国防総省の危機および戦時広報グループ・チームを活性化する。

b. 国防メディア事業局（DMA：Defense Media Activity）

　国防メディア事業局（DMA）は、国防次官補（広報）直属下の国防総省における防衛に関するメディア活動を実施する。国防メディア事業局は国防総省に情報、娯楽、訓練、視聴覚情報サービスを提供する。国防メディア事業局長は以下の責任を負う。

（1）国防総省の上級リーダー（国防長官、各軍長官、統合参謀本部議

長、各軍参謀総長〔海軍は海軍作戦部長〕、戦闘部隊指揮官）および指揮系統内の指揮官からのメッセージやテーマを伝え、生活環境や士気の維持向上、状況認識の促進、タイムリーかつ迅速な部隊保護情報の提供、即応性の維持に役立てる。

（２）個々の軍人の業績を出身地の視聴者に伝えるため、統合軍にニュースリリース・サービスを提供する。

（３）米軍ラジオ・テレビサービス（AFRTS：American Forces Radio and Television Service）によるラジオ・テレビニュース、情報、娯楽番組および司令官の内部情報を、米軍ラジオ・テレビサービス経由で展開中の統合軍に提供する。

（４）コンバットカメラ（COMCAM：Combat Camera ）画像を含む、作戦画像およびその他の国防総省の静止画・動画、映像・視聴覚情報の受領、アクセス、配布、資産・ライフサイクル管理、保管、保存を国防総省で集中的に行ない、国防画像管理運用センター（DIMOC：Defense Imagery Management Operations Center）を通じて統合軍および一般市民の利用を可能にする。

（５）統合参謀本部グローバル作戦担当副長官を直接支援し、国防総省、企業レベル、視聴覚情報、コンバットカメラの調整、計画および全世界の動画・静止画の軍事作戦統合サービスに関して戦闘司令部との調整、企画、軍事作戦統合サービスを提供する。

（６）国防情報学校（DINFOS）を通じて、すべての軍人に広報、放送、印刷、ジャーナリズム、視聴覚情報の共通基幹訓練を提供する。

（７）パブリック・ウェブプログラムを通じて、統合軍のパブリック・コミュニケーションニーズを支援するため、公衆向けのワールド・ワイド・ウェブ・インフラストラクチャを提供する。

（８）統合軍のラジオ・テレビ放送および視聴覚情報システムを含む、テレビおよびオーディオの技術サービス、システムエンジニアリング、保守サービスを提供する。

（９）星条旗新聞は、国防総省のオーディエンスに情報を提供するために、指揮系統の影響から独立して作成された正確な情報プロダクトと、

商業ソースからのニュースや情報を提供し、その支援および管理をする。ホスト国の国民感情を理由に、星条旗新聞への掲載を差し控えることはできない。また米軍ラジオ・テレビサービスのために作成された戦闘司令部戦域ホスト国における国民感情配慮リスト（Combat Command Theater Host Nation Sensitive List）は、星条旗新聞の内容を制限するために使用されてはならない。

（10）広報スタッフの作戦準備のため、国防情報学校から限定的な移動訓練チームを提供する。

（11）衛星とネットワーク接続により、派遣された司令部や軍人の生放送テレビインタビューを促進する。

c. 各軍長官

（1）広報方針と広報ドクトリンを策定し、資源（要員と標準装備または互換装備）を提供する。ミッションと戦闘指揮官の広報増強要請を支援するために、必要な軍人の現役部門（AC：Active Component）および予備役部門（RC：Reserve Component）の広報資源を直ちに準備し、迅速に利用できるようにする。

（2）必要に応じ、統合・多国間活動を支援するため、部隊固有の広報プログラムを実施する。

d. 統合参謀本部議長

（1）共同作戦、広報付属書、戦闘指揮官の演習計画・命令について、共同広報の教義、政策、規則との整合性を検討する。

（2）危機や紛争時、司令部の対応部隊を増強するために広報対応要員を提供し、国防次官補（広報）と調整する。

（3）メディアや国内外の聴衆とコミュニケーションをとるための専門知識と経験を提供する。

（4）国防総省ナショナル・メディアプール展開のための 広報調整と計

画支援を提供する。

（5）統合参謀本部議長への警告、計画、警戒、配備、撤収命令における広報ガイダンスを提供する。

（6）合同・統合軍事演習、作戦、遠征作戦における広報ガイダンスの検討と調整を実施する。

e. 戦闘部隊指揮官（CCDR：Combatant Commander）

（1）米国政府のコミュニケーション活動を支援するため、司令官のコミュニケーションを同期化させる。

（2）詳細な広報付属書と広報ガイダンス案（PPAG：Proposed Public Affairs Guidance）により、指揮系統の上下のコミュニケーション活動を統合し、情報関連機能（IRC：Information-related Capability）と広報付属書と広報ガイダンス案を調整し同期させる。

 （a）報道関係者、広報を支援する軍人およびその装備を移動させるために、戦場での空輸および地上輸送の優先順位を計画する。

 （b）広報資源を提供する計画を立て、広報資源の移動の優先順位を決める。

 （c）他の通信手段がない場合、インターネットアクセスや衛星電話・携帯電話などの通信資源を広報スタッフとメディアに提供する。

（3）作戦コンセプト（CONOPS）、利用可能な資源および 作戦環境（OE：Operational Environment）に基づき、通信資源の優先順位を決め、帯域幅へのアクセスを含む資源を割り当てる。

（4）あらゆる作戦のあらゆる段階を通じて、民間メディアの代表を支援するよう計画する。作戦上可能な場合は、民間メディア代表に対し、戦闘部隊司令部（CCMD：Combatant Command）の関連する活動や業務へのアクセスを許可する。強固なメディア・アクセスを促進する司令部の環境と手続きを整備する。

（5）国防総省メディアプールの配備、受け入れ、運営を準備し支援する。国防総省ナショナル・メディアプールが活性化した場合、それを支

援するための要員を指定する。

（6）適宜、メディア・オペレーションセンターを設立し、タイムリーなコミュニケーション・プロダクトとサービスを提供する。国防次官補（広報）と連携し、下位の統合軍司令官とそれぞれのメディア・オペレーションセンターに対して直接広報を支援、政策指導、監督を行なう。多国籍軍司令官が設置したメディア・オペレーションセンターへの米軍の参加を調整する準備をする。

　なお本書では、あらゆるタイプの報道支援施設（例：統合報道情報センター）を表すために、メディア・オペレーションセンターという用語を使用する。

（7）メディア代表者および軍事ジャーナリストが、合同・多国籍作戦を実施している軍部隊および軍人に接触できるよう支援すること。さらに戦闘部隊指揮官は、指定された広報官が多国籍軍に対する米国の貢献内容についてメディアと話すことを計画する必要がある。

（8）迅速な情報伝達のため、視聴覚情報の共有計画を策定する。この共有計画には、内部調査用の機密画像と、偽情報や誤報に対抗するための公開用機密解除の視聴覚情報が含まれる。

（9）派遣部隊、その本国および家族を支援するためのコミュニケーション・プログラムを計画する。民間メディアに対する情報および視聴覚情報の公開に関する基本規則を定める。メディアへの公開が承認された情報は、統合軍司令官のスタッフにも提供されるものとする。

（10）共同作戦を支援する派遣・配置された広報組織と調整し、資源支援を提供する。

（11）作戦計画中に視聴覚情報の必要性を確認し、画像の収集、編集、送信の必要性を得るため、適切な情報源と調整する。

（12）共同作戦の視聴覚情報を国防総省の共同画像の中央受信・配布拠点である国防画像管理運用センターに転送する。安全保障上の懸念がないかを確認し、最も低い適正なレベルでの公開を許可する。

（13）国民の意識を維持し、統合部隊の任務に対する理解を深めるため、家族およびホームタウンのメディアに情報を提供する。

（14）作戦上の必要性に応じて、個々の広報補強要員を選定する。

（15）地域戦闘部隊司令官（GCC：Geographic Combatant Commander）の戦域安全保障協力または作戦計画の目標を直接支援または強化する地域社会関与／地域社会関係プログラムを支援する米軍の資産および人員について、地域戦域戦闘部隊司令官の責任領域内の各部隊、下部組織、米国大使館、その他のホスト国組織からの要請を検討し促進する。

（16）共同作戦を支援するため、さまざまなデジタル・メディアや伝統的メディアを利用した一般市民向けのコミュニケーション・プログラムの調査、計画、実行、評価、司令部主催の一般公開ウェブサイトの維持、国防総省情報の原則の実施などの広報活動を実施する。

（17）コミュニケーション目標を支援するため、作戦フローの早い段階で、戦力リストで特定された十分かつ有能な広報資産を計画的に共有できるようにする。

f. 統合軍司令官の隷下

（1）指定された作戦区域における 広報活動を指揮し集中させる。

（2）作戦保全に基づき、軍の作戦や要員に対する広報やメディアのアクセスを支援する。広報の任務を可能にするため、概要説明とインタビューおよび後方支援を提供する。

（3）必要に応じて、統合任務部隊（JTF：Joint Task Force）の広報官及びメディア・オペレーションセンターの責任者を指名する。

（4）メディアへのブリーフィング担当者を選定する。

（5）可能な場合、メディアのインタビューに参加する。

（6）メディアに公開される可能性のある視聴覚情報をできるだけ早くメディア・オペレーションセンターに公開するよう検討する。

（7）すべての機能横断的なスタッフ組織に広報要員を統合する。

g. 統合広報支援部隊（JPASE）司令

　統合広報支援部隊（JPASE：Joint Public Affairs Support Element）
は、米国輸送軍（USTRANSCOM：United States Transportation Com-
mand）の統合有効化機能司令部の一部である。統合広報支援部隊 は迅
速な展開が可能で、統合広報能力を提供する。また統合作戦を支援する
とともに統合軍司令部機能の迅速な設立を促進し、統合調整のための橋
渡しをし、進化する戦域情報の課題に対応する訓練を実施するため戦闘
指揮官に対して即応性のある統合広報能力を提供する。統合広報支援部
隊は統合軍司令官に対し、訓練され、装備され、拡張可能および遠征可
能な統合広報能力を提供し、世界規模の作戦を支援する。統合広報支援
部隊司令の任務は次のとおりである。
（1）統合作戦、派遣作戦などに合わせた広報機能および通信機能を提
供する。
（2）専門的に訓練された経験豊富な通信分野の専門家および広報アド
バイザーを指揮官に提供する。
（3）最前線のメディア作戦の支援および実働をする。
（4）戦闘司令部と統合部隊の計画能力を提供する。
（5）視聴覚情報に関する技能と機能を提供する。

h. 各軍種部隊および機能別コンポーネント指揮官

（1）任務に応じ、統合任務部隊スタッフの広報官およびメディア・オ
ペレーションセンター・ディレクターを提供する。
（2）報道支援要員および機材・装備を提供する。
（3）現場部隊の情報および映像情報の公開について、上級司令部との
広報、業務、機能の調整をする。
（4）指示に基づき、報道関係者の移動を支援する。
（5）展開時については、作戦上および作戦保全上の制限内で報道関係
者による通信機器使用を許可する。

（6）任務が付与された場合、必要な視聴覚情報製作チームを提供する。

（7）統合軍司令官のガイダンスに従い、部内および部外のオーディエンスに対してコミュニケーション・プログラムおよび活動を実施する。

3. 組織・編制における業務活動の関係

a. インテリジェンス（情報）

　広報は、インテリジェンスの提供者であると同時に、インテリジェンスの消費者でもある。インテリジェンスの提供者として、広報のメディア分析とニュース要約は、情報アナリストが行なう社会文化分析に貢献できる。またインテリジェンスの消費者として広報は情報プロダクトを使用し、広報計画やメディア分析の強化をする。

　インテリジェンスの要件については、統合参謀本部の情報部門（J-2）と調整される。J-2の歴史的・人的要因に関する分析は、敵のプロパガンダや偽情報を評価・予測するための背景を提供する。広報はJ-2の公開・一般情報ソース分析部門と定期的に調整し、統合参謀本部議長と同スタッフのためのメディア分析を強化する必要がある。

b. 視聴覚情報（VI：Visual Information）

　視聴覚情報機能は、直接および派生した情報源から得られる広範なイメージ・プロダクトであり、多くの場合、広報が直接マネジメントできる範囲の外側となる。これらの情報源には、コンバットカメラ（COM-CAM）、軍事フォトジャーナリスト、情報・監視・偵察装備システム、兵器システムのカメラ、軍事放送機関などが含まれるが、これらに限定はされない。

　広報は任務を遂行するために、これらすべての情報源およびその他の

情報源からの 視聴覚情報プロダクトを利用する。広報の統合作戦を強化するためのさまざまな視聴覚情報ソースの計画と活用については、第5章の「視聴覚情報」で詳述する。

c. 情報作戦（IO：Information Operations）

　情報作戦（IO）とは、軍事作戦中に他の作戦指揮系統と連携して情報関連能力を統合的に運用し、敵対国および潜在的敵対国の意思決定に影響を与え、混乱させ、腐敗させ、または収奪する一方で、自国の意思決定を保護する。

　情報収集活動と情報作戦は、統合参謀本部議長の目標を支援し、敵の宣伝、誤報、偽情報に対抗し敵の行動を抑止する。広報と情報作戦の両部隊は広報活動を計画しメディア分析を行なうが、情報作戦は国内外の住民、活動対象範囲、活動意図に関する権限に関して異なる。
　そのため、両者は別個の機能領域であり広報は統合参謀本部議長のスタッフとして、情報作戦は統合参謀本部から作戦を支援するセクション（J-3）として機能する。
　また統合参謀本部は、情報、政策、法的権限および安全保障に関する国防総省の原則に基づき、広報と情報作戦の活動間の適切な調整を行なう態勢を確保する。
　統合作戦計画プロセス（JOPP）は、広報と情報作戦が軍事作戦を支援し任務を達成するために、それぞれの通信能力を統合・同期させる共同作業プロセスである。

（1）軍事情報支援作戦（MISO：Military Information Support Operations）
　軍事情報支援活動（MISO）は、外国のターゲットとなるオーディエンス（視聴者）の物事に対する姿勢、意見、行動が米国の目標に有利になるように影響させるために用いられる。広報と軍事情報支援活動のそれぞれの活動は互いに影響し合い、継続的な調整が必要とする。

（a）広報と軍事情報支援活動は、統合作戦計画プロセスの間、競合的にならないようにする必要がある。統合軍司令官は、長期作戦のために情報作戦のワーキング・グループや班を編成することができる。なお組織編成上、合同調整メカニズムがない場合、広報と軍事情報支援作戦部隊は直接調整をすることができる。

（b）軍事情報支援活動は、定義上、外国のオーディエンスを対象としている。しかし軍の情報支援要員および装備は、承認された行政当局防衛支援（DSCA：Defense Support of Civil Authorities）任務を支援するために使用することができる。行政当局防衛支援は、行政当局情報支援（CAIS：Civil Authority Information Support）活動により支援を得ることができる。行政当局情報支援には、重要な情報を伝達するための情報発信、印刷、複製、配布、放送を含むことがある。行政当局情報支援の取り組みはすべて連邦政府機関と調整され、連邦政府機関はすべての情報プロダクトの内容に対して単独で責任を負う。

（2）作戦保全（OPSEC）

作戦保全は、敵による重要情報の活用を防ぐことで、米軍および多国籍軍の脆弱性を軽減させる。作戦保全プロセスは、重要情報を特定・管理・保護し、その後、軍事作戦に関連する友軍の行動を分析するために使用される体系的な方法である。

（a）統合軍司令官とその司令部幕僚は、公開が提案された情報に関する作戦保全リスクを評価する。情報源に対する安全の保障は、機密および機微な資料を保護するための指針であり、一般市民との対話を統括するものである。

（b）広報官は、メディアの報道が統合作戦に及ぼし得る影響を評価すべきである。広報官は作戦、情報およびリスクマネジメント・プランナーと緊密に協力し、機微な情報の不用意な開示を避けるためのガイドラインを策定すべきである。また広報担当者は、重要情報の不用意な公表を防ぐため、作戦保全の計画、調査およびセキュリティの監査・改善に関与すべきである。

（c）作戦保全の制約と情報・画像の公開の必要性は、バランスがとれていなければならない。情報と視聴覚情報の公開のタイミングは、作戦保全を維持するのに役立つ。また最善の対応の実施には、短期的な安全保障上の問題と報道側の求める情報のバランスをとるために、センシティブな情報の公表や伝送を一時的に遅らせる基本ルールが含まれる。

（d）広報は、危機や有事の発生時に広く利用可能なモバイル通信技術（たとえばブログ、ソーシャル・ネットワーク、スマートフォン、ストリーミング・メディア）を使用してコミュニケーションを図ることに関する作戦保全の問題を検討するべきである。作戦保全プロセスで特定された重要な情報の開示や公開は、危機対応、問題管理および広報計画の中で 広報として考慮されなければならない。

（3）軍事的欺瞞（MILDEC：Military Deception）

（a）軍事的欺瞞とは、敵対する軍事、準軍事または暴力的過激派組織の意思決定者を意図的に欺き、それによって敵対者に友軍の任務達成に寄与する特定の行動（または不作為）をとらせるために実行される行動である。軍事的欺瞞は軍事作戦のあらゆる局面で使用することができる。

しかしながら、広報の資源や能力を軍事的欺瞞能力として使用することはできない。なぜなら、そのような行動は広報の正統性を損ない、広報のメッセージに対する将来に渡る信頼を失わせるからである。

（b）広報活動は、政策、法的制限、安全保障に基づき、軍事的欺瞞活動と計画、調整、齟齬のないようにする必要がある。広報と軍事的欺瞞の作戦間の調整では、欺瞞計画の本質的要素を保護し、真実の情報源としての広報の完全性、評判、信頼性を維持しなければならない。軍事的欺瞞の関連情報の保護は作戦の成功に不可欠であるため、詳細はそれに応じて分類される。

d. その他の米政府省庁との調整

　戦闘部隊指揮官は、事実に対する国民の理解に影響を与える行動や情報を持つ政府省庁間パートナーとともに広報の場で活動する。作戦中については、政府として承認されたテーマを支持する一貫したメッセージの発信が不可欠である。また作戦に関連、または参加するすべての機関および組織は、メディアへのアクセス、信任状の発行と確認、メディア・メンバーと報道関連機材の使用に関するブリーフィング、防護・護衛、移動・輸送の手順について、作戦計画作成プロセスの早い段階で調整、確立し、合意しておく必要がある。

　国務省では、広報担当者がこのプロセスで重要な調整役を担っている。通常、国防次官補（広報）のオフィスは、統合省庁間調整グループ（JIACG：Joint Interagency Coordination Group）を通じて戦闘部隊司令部と連携して、その情報を広報ガイダンスを通じて下部組織や部隊に伝達する。同様に戦闘部隊司令部の統合省庁間調整グループの代表者は計画作成プロセスに参加し、代表する機関と諸問題や課題を調整する。

（1）国務省の国際情報プログラム局

　国際情報プログラム局は、米国の政策、社会、価値観に関する問題について、国際的に重要となる社会や国民、人物を関与させ、米国の国益を受容される環境の構築を支援する。このため、司令官とそのスタッフは、広報活動がこれらおよびその他の国家レベルのコミュニケーション・イニシアチブと連携して機能するように計画する必要がある。

（2）パブリック・ディプロマシー（PD：Public Diplomacy）

　パブリック・ディプロマシー（PD）とは、海外のオーディエンスやオピニオン・リーダーを理解し、情報の提供とともに影響を与え、米国の市民や機関と国際社会の関係者の間の対話を拡大することで、米国の外交政策目標を推進するために行なわれる米政府の包括的な国際広報活動である。

広報とパブリック・ディプロマシーは、それぞれのメッセージの一貫性を確保し、信頼性を維持するために公開情報について調整することが非常に重要である。

（3）省庁間ガイダンス

　省庁間プロセス、国防総省およびさまざまなレベルの司令部からの情報は広報ガイダンス（PAG）を介して周知される。このガイダンスは、一貫したメッセージが発信されることを確実にするために極めて重要である。またガイダンスは、政治的・軍事的状況の変化に応じて、毎週、毎日、または毎時変わることがある。

（4）カントリーチーム

　カントリーチームは、米国の外交使節メンバー、または大使館の主要メンバーで構成されホスト国政府と直接協力する。その目的は、使節団長（COM： Chief of Mission）の指揮のもとで、それぞれの国家において米国の国家政策の調整と実施を一元化することである。カントリーチームは定期的に会合を開き、米国の関心事について使節団長に助言し、その国の最新情勢について把握し検討する。また使節団長は、各ホスト国における上級米国代表として、当該国での情報発信を管理する。広報スタッフは、ホスト国に影響を与えるすべてのテーマ、メッセージ、プレスリリースをそれぞれの米国大使館のチャンネルを通じて調整する必要がある。そして戦闘部隊司令部の国務省外交政策アドバイザーは、国務省との情報交換を容易にすることができるため、統合軍広報官は必要なリソースにアクセスすることができる。

e. 政府内組織（IGO）およびNGO

　政府内組織（IGO：Intergovernmental Organization）およびNGOとの緊密な調整もまた、広報の重要な責任となる。たとえば国防総省が海外人道支援（FHA：Foreign Humanitarian Assistance）を行なう場合、多

くの米国以外の機関（たとえば国連難民高等弁務官事務所や赤十字国際委員会）が関与することがある。国防総省の活動だけでなく、彼らの活動にも社会やメディアの関心が集まる場合がある。他の関係機関との統合軍による緊密な調整は、米国の総合的な対応努力に関する一貫した情報の提示を確実に実施するうえで重要である。

f. ホスト国（HN）

　広報ガイダンスに反映されるべき現地の問題や懸念を特定するため、広報計画作成者は適宜、ホスト国政府と協議すべきである。この調整は通常、各大使館の広報官を通じて、また情報作戦計画担当者と緊密に連携して行なわれる。

g. 多国籍パートナー

　国際的な危機を解決するために米軍が単独で活動することはほとんどない。したがって広報計画は多国籍パートナーが活動に参加する可能性を考慮する必要がある。ホスト国側への配慮に加え、メディア・オペレーションセンターのスタッフは、メディアや一般市民とコミュニケートする際、多国籍パートナーの懸念に十分考慮しなければならない。

第3章　統合作戦における広報

> 「報道は敵ではない。そのように扱うことは自滅である」
>
> （ロバート・M・ゲイツ国防長官 2007年5月）

1. 概　要

a. 広報の機能

　広報の機能は、指揮官を支援しミッション目標を達成することに焦点を当てた、より広範なコミュニケーション・プロセスの一部である。広報の機能には、統合軍司令官とスタッフへの助言、広報の訓練、調査、計画、評価、コミュニケーション・プロダクトの開発と配布、一般市民とのコミュニケーション、統合作戦計画プロセスへの広報と視聴覚情報の統合が含まれる。全プロセスを通じて広報は以下のことを行なう。

（1）指揮官への助言と勧告
　広報官は提案された行動方針と政策決定が、関連する人々に与える影響に対する客観的なアドバイスなど、一般社会とのコミュニケーションについて司令官に助言する。また新たに生じる諸問題や国民感情について、指揮官や幕僚と共通の状況認識を持つために調査や分析を行なう。

　統合軍は作戦環境や国民に与える影響に焦点を当てることで、国民の関心事項への対応力を高め、計画したアクションが意図しない結果を招く可能性を明確化することができ、行動と発言との間に見られる不整合を迅速に特定することができる。

（2）主導的スタッフのコミュニケーションに関する連携

　広報はパブリック・インフォメーションに関しての主要な調整役として、世論の反応や一般社会における情報認識と軍の行動、言葉、イメージが一致しない場合に統合軍司令官に報告・警告し、司令官のコミュニケーション情報同調プロセスを通じて、それらを一致させるための行動を促すことができる特別な立場にある。広報スタッフは、上位司令部から下位司令部へ、そして幕僚全体と米軍や多国籍軍を含む主要なステークホルダーとの司令部との間で、広報ガイダンスによるコミュニケーションを調整する。

（3）広報・コミュニケーション活動の指揮

　広報官は、広報スタッフとともに広報活動を主導する。

（4）広報トレーニング

　広報訓練は、メディアとのインタビュー、メディアや民間人の訪問者の受け入れ、自国民以外の国民との会話、ソーシャルメディアにおいて、所属部隊、任務活動、国防総省を効果的に表現できるよう、司令官と隊員にその準備をするものである。

　広報チームは、講堂などで司令部要員全体を対象とした広報の慣熟訓練から、司令官や各部隊指揮官、分野別専門官（SME：Subject Matter Expert）に対する1対1の集中指導に至るまで、幅広い訓練を実施しなければならない。

　また広報官と広報チームは、統合部隊のメンバーに対し、広報の任務、能力、統合計画プロセスにおける役割、コミュニケーション活動全体への支援に関する理解を深めるための訓練を行なう。

b. 広報の任務

（1）調査（リサーチ）

　広報官は統合参謀本部の他の者と協力して、情報環境を積極的にスキ

ャニングし、統合部隊に影響を与える可能性のある新たな問題を特定する。広報官は定量的・定性的な調査によって、問題や機会、作戦環境、国内外の社会や文化的背景をよりよく理解し、明確にする。この情報は全体的な意思決定プロセスに反映され、計画立案の指針となり、広報の助言やコミュニケーションの質を向上させる。また作戦環境の変化を予測・特定するために調査を行ない、必要に応じてリーダーが調整・対応することで、任務の成功を確保できる。文化、社会や政治構造、言語、宗教に関する知識を増加させることで、広報官はオーディエンスのニーズや傾向をよりよく理解し、彼らの理解を深めるメッセージをデザインすることができる。

（2）計画（プランニング）

　広報の計画と活動は、指揮官の意図と指揮目標を支えるものでなければならない。作戦立案の際、広報の関与は最初の計画段階より前に始まり、調査を通じて得た情報と知識を用いて、作戦環境とさまざまな問題の性質に関する指揮官の理解を促進させる。

　このプロセスには、作戦計画の指針策定に重要な起こり得る事態の予測と対応に有用な過去の教訓の考察も含まれる。

　このような事項の理解によって、指揮官の最初の計画の指針と意図が形成されるが、これにはコミュニケーションに関する検討が含まれていなければならない。また司令部は作戦計画とは別にコミュニケーション計画を作成すべきではない。作戦計画には、最初からコミュニケーションに関する考慮事項と活動を盛り込むべきである。

（3）メディア・プロダクトの開発と普及

　広報官は、テクノロジーを活用して、司令官の目的をサポートするコミュニケーション・プロダクトを迅速に開発し普及させる。プロダクトには文章、ターゲットにする大衆に最適化された視聴覚情報（写真、ビデオ、マルチメディア作品）、流通経路、多様なメディアを通じた大衆のネットワークへの共有のしやすさなどが含まれる。作戦地域では、軍

事ジャーナリスト／マスコミの専門家／従軍記者が現場の部隊に派遣される。これにより指揮官には、敵による誤報や偽情報を防ぐための有効な手段として、現場部隊の行動を撮影し、文書化し、迅速に配布する能力が提供されることになる。

（4）パブリック・コミュニケーション

　広報チームは、コミュニケーションを特定のオーディエンスにメッセージを届ける技術的なプロセスではなく、人々の間の対話と相互作用の社会的プロセスと捉え、国内外のすべての作戦環境において、米国および海外の一般市民（主要指導者を含む）とのコミュニケーションを積極的に促進する。

　広報官は、研究とコミュニケーション理論を使用し、一般大衆を特定・区分し、彼らに合わせた創造的なコミュニケーション・プランと啓発プログラムを作成する。またパブリック・コミュニケーションは、内部および外部の一般大衆とステークホルダーに焦点を当てる。さらに広報官は、従来の報道機関やデジタル報道機関の代表者とのコミュニケーションを円滑に行なう必要がある。

　パブリック・コミュニケーション活動には、視察研修、著名人の参加、メディアの参加、インタビュー、タウンホールミーティング、講演、バンドコンサート、対面での会話などの対面活動や音声電話、Eメール、ビデオ・コンファレンス、ソーシャルメディア・プラットフォームなどの技術を使って促進する交流が含まれる。

（5）広報能力

　すべてのレベルの広報スタッフは小規模であり、すべての広報タスクとミッションを遂行するためには補強が必要である。このため広報計画者は、戦闘部隊指揮官に必要な能力を効果的に提供するために必要な条件を評価し、十分な資源を計画・要請しなければならない。

（6）評価と査定

　司令部および任務目標に対する広報活動の有効性を測定することは、広報の不可欠な部分である。評価と査定は、計画と実行の全段階に含まれるべきであり、フィードバックは、それに応じて行動を適応・調整するために使用する。

c. 検討事項

　統合作戦における広報の考慮事項は以下の通りである。

（1）軍事作戦は注目を集める。司令官と幕僚は、通常の計画プロセスの一環として、社会からの作戦への関心を予期しておかなければならない。部隊への警報、航空機の活動増加、鉄道や船舶の荷役などの軍事活動はメッセージを発信しているのと同様であり、ほぼ必然的にメディアからの問い合わせにつながる。このため作戦行動や言葉・画像は、情報公開やソーシャルメディア活動の活発化に先立って、熟慮のうえ計画することが肝要である。

　また、こうした活動は部隊の隊員、家族、米国民に懸念を抱かせる可能性がある。情報の公開や報道機関へのアクセス許可は、当初から上位司令部が指示するか、出来事が公に知られるようになってから指示されることが多い。指揮官が決定した情報公開や報道支援の量がどの程度であっても、上位の司令部がさらに多くの情報を公開するよう指示することは決して珍しくない。

（2）広報は作戦の各段階に組み入れるべきである。現行の国防総省広報ガイダンスに基づき、同ガイダンスと一致し、作戦保全、情報セキュリティ、安全および米軍兵士、その家族、国防総省職員の安全、プライバシーの制約の範囲内で広報は以下のことが可能である。

　（a）国内外の一般市民に対し、米軍の作戦と目標に関する正確でタ

イムリーな情報を提供する。

（b）米軍の作戦に関する米国および国際メディアの報道を支援する。

（c）米国の意思、能力、意図を伝えるためのメッセージを作成する。

（d）正確でタイムリーな広報と映像・画像により、敵の偽情報（プロパガンダ）や誤報を緩和し、それに対抗する。

（3）広報は非常に機敏でなければならず、また一般市民の会話の変化にリアルタイムに迅速に対応しなければならない。広報官は指揮官と協力し、統合軍の広報プロセスを合理化し、タイムリーで適切な広報を行なえるようにすべきである。

（4）指揮官は、広報活動の効果を判定するため、広報活動を評価すべきである。また、その結果は将来の計画策定に役立てるべきである。

2. 要求事項

a. 概　要

（1）統合作戦のプランニング担当者は、計画プロセスのできるだけ初期に広報施設、要員、機材、輸送資産および通信資産の必要条件を特定すべきである。広報官は広報要員を増強し、他の必要なリソースを調達、リース、または割り当てるための具体的手段を明らかにしておく必要がある。リソースの特定と割り当てには、一般に支援を行なう戦闘部隊指揮官、行政機関および軍務部からの援助が必要である。

（2）広報と視聴覚情報の要員および装備は、軍用・民間航空機および軍用艦船で輸送できるものでなければならない。後続の品目は、ロジス

ティクス・チャンネルを通じて優先的に輸送される。メディア関連機器の量と多様性は、広報スタッフの構成に影響を与える。

b. 施　設

　実施が可能な場合、適切なインフラを備えた施設が広報用に指定され、メディア・オペレーションセンター（MOC）を設置・運営する要件が含まれる場合がある。司令部の広報スタッフは、司令部要員とともに配置される。独立したメディア・オペレーションセンターを設置する場合は、メディアにとって便利かつ安全な場所に設置すべきである。

　一方、作戦保全の観点から情報漏洩のリスクを低減させる必要がある場合、かつメディアからのアクセスを向上させたい場合、司令部から離れた場所にメディア・オペレーションセンターを設置する場合がある。

　いずれにしても適切なセキュリティ環境を保持することにより、増大する作戦上のリスクを軽減する注意を怠ってはいけない。

　特に必要なスペースの要件としては、本部内のスタッフ作業エリア、メディア・オペレーションセンター内のスタッフとメディアの個別作業エリア、米軍ラジオ・テレビサービス（AFRTS）の放送・送信施設、機材庫、映像施設、ヘリコプター着陸帯へのアクセス、車両駐車場などがある。宿舎と食堂の要件も考慮されなければならない。

c. 人　材

　ほとんどの広報オフィスの日常的な人員配置では、危機を取り巻くメディアや市民の関心の高まりに対応できない可能性が高い。慎重な計画と危機対処計画（CAP：Crisis Action Planning）は、この課題に対処するための行動方針（COA：Course of Action）を明らかにする。言語専門家や文化アドバイザーが必要となるが、人材が不足している場合がある。

　このような場合、以下のような手段で補強することができる。

（1）現役部隊および予備役部隊の広報部隊

　作戦計画（OPLAN）、作戦命令（OPORD）、または部隊要請（RFF）は、部隊を増強するために必要な広報スキルの組み合わせを明確にする必要がある。現役部隊および予備役部隊の広報部隊員は、戦闘部隊指揮官の作戦計画と作戦命令を補佐することができる訓練を整合させなければならない。広報担当者は、装備、人員およびトレーニングの要件が特定されていることを確認しなければならない。基準外の要求は、装備の購入、専門的な訓練、または組織の構成に属さない人員の獲得に利用できる資金を確保するために兵力要求に記載する。

（2）個　人

　支援部隊司令官と支援戦闘指揮官は、統合軍司令官を補佐するために、個人の広報要員を派遣するよう命じられることがある。支援を受ける統合軍司令官は事前に広報要員の配属先を確認し、支援司令部は要員個人を統合軍司令官からの人事要件に適合させるべきである。

d. 装備品

　任務の要件に基づき、広報官は広報を支援するための装備を選定することが必要である。広報のプランナーは、各緊急事態に必要な通信インフラを明確にし、次に誰がそれを提供するのかを特定する必要がある。

　たとえば自然災害や人為的災害後の広報においては、映像・画像、ニュース、ソーシャルメディアの最新情報を短時間で伝えるためのインターネットアクセスが可能な衛星電話や携帯電話などの代替通信機材が必要となる場合がある。また機材セットを維持するために必要なメンテナンスとサービスも検討する。

　（1）広報では、相互運用性を促進することが重要であり、特に緊急事態・不測事態に即応するために機材などの運用方法の追加訓練を最小限に抑えるため、機器を標準化すべきである。ハードウェア、ソフトウェ

アおよびデジタル画像の性能要件は、すべての広報活動を支援するために明確にする必要がある。検討事項としてはテレビ、音声、印刷メディア、行事の調整と日程調整、司令部ブリーフィングの準備、緊急時用インターネットサイトの運営などが含まれる。

　また広報スタッフ、翻訳者、アナリストは、メディア分析と評価を実施するため、専門的なデータ集計やメディア分析ソフト、テレビモニター、ビデオ／デジタルレコーダー、ニュース番組を観るための情報収集能力を必要とする。こうしたアイテムの多くは戦闘部隊指揮官、特に国防総省ナショナル・メディアプール、司令部の主要メディア・オペレーションセンター、その他作戦の初期段階を支援する広報オフィスを支援するために要求されるものでなければならない。

（2）現地への派遣可能な米軍ラジオ・テレビサービス（AFRTS）配信パッケージ（無線／テレビ放送、ケーブル、帯域ダウンリンク）がある場合は、総合的な必要性に基づいて検討されるべきである。放送に必要な周波数は、統合参謀本部の通信システム部によって提供されるべきである。それに続く必要な資源は、担当戦闘部隊指揮官、支援戦闘指揮官および関係各軍からのバランスのとれたサポートによって充足されるべきである。

e. 輸送・移動

（1）広報要員とその装備は、他の作戦部隊と同様に移動可能であるべきである。
（2）移動手段には以下のものが含まれる。
　（a）広報の運営と後方支援活動を支援するための車両（運転手と通信手段を含む）
　（b）作戦を取材するメディアと広報要員の移動を支援するための車両（運転手と通信手段を含む）
　（c）敵地や安全ではない場所における広報スタッフやメディアの移

動における護衛部隊の同行

　（d）メディアと従軍記者の移動を支援するための航空機

　（e）情報やイメージプロダクトを移動させるための海上および航空
輸送

f. 通　信

　通信の要件は以下の通りである。

　（1）広報および視聴覚情報プロダクトをライブまたは可能な限りリア
ルタイムで、戦闘地域間または戦闘地域内の複数のユーザーに同時送信
するための帯域幅。

　（2）インターネットアクセスには、情報および画像公開のためのフィ
ルタリングされていない外部アクセスと、部隊および緊急時の非分類と
分類されたウェブベースのサイトを構築し、運営するためのローカルエ
リア・ネットワークへのアクセスが含まれる。

　（3）図3-1は、想定される広報通信の要件を示したものである。

g. その他の支援

　広報スタッフは、作戦地域全体で広報活動を確立し実施するために、
統合軍内で入手できない物品やサービスを入手するための専門的な契約
支援や政府購入カードが必要になる場合がある。
これには以下が含まれる。

　（1）コミュニケーション・プロダクト（ニュースレター、新聞、写真
など）の出版に関する契約

　（2）メディア分析・評価を支援するためのプロダクト、サービス、機
器に関する契約

　（3）機器の持続可能性を確保するための保守・サービス契約

　（4）翻訳サービス契約

3. 計　画

a. 概　要

　広報のプランニング担当者は、作戦計画立案プロセスのすべてに参加する。

b. 広報と統合作戦計画プロセス

　統合作戦計画プロセスは、実績を積んだ分析プロセスであり、統合作戦の開始前および実施中のどの組織レベル、どの時点においても、計画立案のための方法論的アプローチを提供するものである。統合作戦計画プロセスにおいて実施される具体的な広報活動や手順の例を、図3-2に示す。

（1）任務分析
　作戦計画者は、メディアのインフラ、能力、偏見および主要地域の社会的・文化的特徴を含む作戦環境の状況把握に重点を置く。広報計画者

図3-1 広報通信の想定要件

- 国際通話が可能な電話回線
- 保全化された通信回線
- 移動無線機
- 携帯電話
- 留守番電話
- ファクシミリ
- 戦術用通信機器（保全化・非保全化）

- ライブ映像
- 電子スチル写真・ビデオ
- インターネットアクセス
- 機密および非機密の電子メールアカウント
- ダビング装置
- 衛星アップリンク装置へのアクセス機器

は任務、最終局面、目標を分析し、適用される戦略ガイダンスを検討し、広報の任務（特殊事項、暗黙事項、必須事項）を特定し、広報スタッフの初期見積りを作成する。

（2）行動指針の策定

広報は、広報の観点から必要な 広報能力、必要な戦力および不足を特定するために行動指針の策定、分析および図上演習、比較および承認に参加する。

（3）計画または命令の策定

（a）付属書F（広報）参照

作戦計画の付属書F（広報）は、計画を支援するために必要なすべての広報関連の輸送、通信、宿舎、装備および人員資源を扱うべきである（訳注：付属書とは各作戦計画（OPLAN）に含まれるもので、さまざまな分野の細部実施要領。通常は機密文書で一般公開されない）。しかし作戦を支援するために必要なこれらの広報要件の詳細は、これらの資源を入手し、付属書Fに概説されたとおりの広報活動を行なうために、他の適切な付属文書（兵站、人員、通信）で調整し記載する必要がある。付属書に記載されるべき追加の計画上の考慮事項は、図3-2に含まれている。計画や命令の広報の付属書は、国防次官補（広報）事務局に送られた広報ガイダンス案を補完し支援するが、それに取って代わるものではない。付属書F（広報）の書式は統合参謀本部議長マニュアル（CJCSM）3130.03「適応型計画および実施（APEX）計画の書式とガイダンス」に記載されている。付属書F（広報）の記載要領については、付録B「付属書Fの作成参考要領」を参照。

（b）付属書Cの付録10参照

付属書C（作戦）の付録10（コンバットカメラ／COMCAM）は、計画におけるCOMCAMのガイダンスを提供する。関連する付属書（例：広報、情報作戦、通信、省庁間）を調整し、相互参照することで、効果を

図3-2 統合作戦計画プロセスと広報活動

統合作戦計画の プロセス	広 報 活 動
1. 開始時期 2. 任務分析	● 作戦環境の分析を開始 ● 作戦環境統合情報準備(JIPOE)に参加 ● 広報への影響について以下を確認 　・国家戦略ガイダンス 　・上位司令部の計画指令 　・初期の統合軍司令官の意図 ● 任務分析時に広報の観点を提供 ● 計画策定を支援するための情報要件の特定 ● 特定された暗黙かつ必須の広報任務の特定 ● ミッション・ステートメントに対する広報の提案を作成 ● 視聴覚情報支援、AFRTS、国防総省ナショナル・メディア・プール 　の必要性を含む広報の初期戦力構造分析 ● 広報に必要な事実関係の確認および想定の作成 ● 広報の見積り作成 ● 計画に関連するすべての横断的なスタッフ・組織への参画
3. 行動指針の策定 4. 行動指針の分析と 　図上演習 5. 行動指針の比較 6. 行動指針の承認	● 行動指針の作成に参加し、必要な広報能力と戦力および不足を特定 ● 行動指針の分析と図上演習に参加し、広報の観点から各行動指針 　の長所と短所を特定 ● 図上演習に基づき、必要であれば広報スタッフの見積りを修正 ● 行動指針の提案に関して、広報の意見を提示 ● すべての機能横断的なスタッフ組織への継続的な参加
7. 計画または命令 　の策定	● 行動方針を支援するために、広報要件(能力、部隊構成、装備/兵 　站、その他の資源)を精査 ● 部隊が要求する広報要員の提供 ● 時系列に沿った戦力と配備データの構築/検証に適宜参加 ● 計画に関連するすべての機能横断的なスタッフ組織への継続的な 　参加 ● 付属書B、C、D、G、O、VおよびF案を含む、すべての付属書 　の作戦計画プロセスへの情報提供 ● 管理上または契約上の要件の調整 ● 広報ガイダンスの案を作成し上位司令部に提出、審査/承認を受ける ● 計画の整合性と円滑な作戦移行を確保するため、下位司令部や部 　隊の広報スタッフとの調整

高めることができる。

1）統合参謀本部議長指示（CJSCI）3205.01「統合コンバットカメラ（COMCAM）」は、司令官に対してCOMCAM戦力の計画、任務、維持、および使用を指示している。

2）米陸軍技術文書（ATP）3-55.12/米海兵隊参考文書（MCRP）3-33.7A/米海軍戦術・技術および手順（NTTP）3-61.2/米空軍戦術・技術お

よび手順（AFTTP）3-2.41、コンバットカメラ（COMCAM）運用に関するマルチサービス戦術・技術・手順では、コンバットカメラ部隊の計画、配置、統合のためのガイダンスを示している。

（c）付属書Y 司令官コミュニケーション・シンクロナイゼーション参照

司令官コミュニケーション・シンクロナイゼーションの内容は、統合参謀議長マニュアルCJCSM 3130.03「対応計画および実行（APEX）、計画フォーマットおよびガイダンス」に記述されている。内容には、情報環境の概要、敵対勢力、作戦系統、効果測定（MOE：measure of effectiveness）、タスク、調整指示など、司令官コミュニケーション・シンクロナイゼーションの重要な要素に焦点を当てた状況や作戦コンセプトが含まれる。広報プランナーは、付属書Fに含まれる情報を利用して、付属書Yの作成に役立てる。

（d）広報ガイダンス（Public Affairs Guidance）の作成

統合軍司令官は、DODI 5405.3 "Development of Proposed Public Affairs Guidance（PPAG）" に示された形式に従い、広報ガイダンスの作成を戦闘指揮官を通じて、国防次官補（広報）室に提出し、承認を受ける。

広報ガイダンスの作成には、推奨される広報政策、背景、緊急事態声明、メッセージのポイント、予想されるメディアの質問に対する回答、コミュニティ参加ガイダンス、一般市民への情報と画像の公開に関する詳細などを含むべきである。これについては、作戦命令策定と連動して調整を完了し、最初の広報ガイダンスを発効させるために準備を進めるべきである。

国防次官補（広報）は広報ガイダンスの作成案をレビューし、広報ガイダンスを承認、修正承認、または不承認するなどの広報ガイダンスの通知文書を発行する。また広報ガイダンスは派遣活動の前に発行されるべきである。追加または補足の広報ガイダンスの作成は、作戦または遠征の間、継続される。統合軍司令官の広報スタッフは、広報ガイダンスの追加すべき内容を提案し、声明を起案し、問題を特定し、一般市民や米軍部内のオーディエンスから寄せられる質問、懸念、関心に対応するための回答を用意する。

《広報ガイダンス》

　広報ガイダンス（PAG）は、防衛問題や作戦に関する国民の議論を支援し、メディア代表者や国民に対応する際の原資料となるものである。また広報ガイダンスは、関連する広報の責任、機能、活動、資源に関する計画ガイダンスを概説している。広報ガイダンスを作成し、適時に配布することで、統合作戦の情報需要に対応する際、すべての情報が政策に合致していることを保証する。また広報ガイダンスは、作戦の安全および統合軍メンバーのプライバシー要件に合致している。（各種情報源）

（e）危機対処計画（CAP：Crisis Action Planning ）

　危機対処計画では、統合作戦計画プログラムのステップには時間的制約があり、実際の危機、または差し迫った危機に対応するため、しばしば迅速な意思決定が必要とされる。統合軍司令官とその幕僚は行動方針を策定・承認し、計画や命令を発表し、部隊を準備し、維持と通信システムの支援を手配しなければならない。

　一般市民やメディアからの問い合わせは、すぐに統合任務部隊の資源を圧迫し、統合任務部隊の計画能力を低下させる可能性がある。計画を継続し、同時に国防総省の対応に対する国民やメディアの関心に応えるためには、広報スタッフの緊急増強が必要な場合がある。

c. 広報計画の考慮事項

（1）概　要

　広報活動は統合作戦計画プロセスの早い時期に、統合軍全体、および他の機関と同期させるべきである。情報および映像・画像の計画、統合、承認および配布を行なう権限は明確に設定されるべきである。戦争法違反の疑いに関するものを含め、作戦地域内の調査に関する情報の公開に関する法的考察は、広報ガイダンスにおいて可能な限り早期に対処すべきである。テーマの調整、およびメディアによる報道と広報ガイダ

図 3-3 広報計画の検討事項

- メディアアクセス
- 視覚情報
- メディア・オペレーションセンター
- 従軍取材/メディアプール
- 情報支援
- 広報のための技術サポート
- 部隊活動情報
- 米軍ラジオ・テレビサービス
- コミュニケーション・ガイダンス
- インターネットによる各種情報/提供
- セキュリティ・保全

- ホスト国
- 多国籍パートナー
- カントリーチーム
- 政府機関・NGO
- 省庁間調整
- 省庁間ガイダンスの配布
- 分析とフィードバック
- 敵のプロパガンダへの対抗
- 広報のガイダンス
- ソーシャルメディアへの影響

ンスのサポートは、派遣前に承認されるべきである。

（a）統合部隊による一般市民への情報提供活動は、一般的に派遣直前と派遣中に増加する。一般市民やメディアの関心の高まりに対応するため、合同部隊の広報担当者は通常、広報プログラムや活動を拡大するために増員される。広報の需要は作戦開始時、または敵対行為発生時に最も高くなる。国防次官補（広報）はメディアに対し、統合軍への同行を許可するよう指示することができる。

作戦にメディアの関心が集中する場合、広報活動を促進するため、メディア・オペレーションセンターや下位のメディア・オペレーションセンターを設置することができる。作戦への直接アクセスが不可能な場合、メディアプール（訳注：代表取材により情報、映像、画像などをメディアで共有する方法。物理的に取材可能人数などに制限のある場合に用いられる）を設置し、支援する必要がある場合もある。統合軍司令官のスタッフ全体および国防総省や他の米軍パートナーの活動（毎日の記者会見、事実等照会への対応、COMCAM、文書など）と同期させ統合することは、誤報への効果的な対抗策となる。

（b）多くの広報活動は、作戦期間中も継続される。安定化作戦中、広報活動は行政当局への移行と重要な情報インフラの修復を支援する必要がある。統合部隊の対外広報は、文民統制への移行や最終状態への適合を支援し、再展開の活動や報道を支援するため、ホスト国のラジオ、テレビ、印刷メディアを選択的に補強することができる。

（2）タイムリーな報道

　的確な情報をタイムリーに発信する計画を策定することは、情報環境下で競争に打ち勝つために極めて重要である。広報計画は、メディアが統合作戦をいち早く目にすることを促進することから、作戦計画担当者と統合軍司令官は次のことを行なうべきである。

　（a）装備と訓練を施した統合広報チームを編成する。

　（b）広報要員、メディアおよびメディア・プロダクトが前線基地との移動に必要な空輸および後方支援を適切な方法で確保する。

　（c）必要であれば1日に数回、戦闘地域で国際・米国メディアに対し頻繁にブリーフィングを行ない、作戦を把握させる。

　（d）兵器システムのビデオ、情報、監視、偵察データ、コンバットカメラのプロダクトを、適宜、作戦保全の要件に沿って、迅速にクリアランスおよび配布するためのプロセスを確立する。

　（e）コンバットカメラおよびその他の関連プロダクトを含む情報と画像の公開権限を可能な限り低いレベルに委譲する。

（3）上級司令部と司令官コミュニケーション・シンクロナイゼーション

　（a）統合軍司令官は、戦略的ガイダンスと方向性に基づき、与えられたミッションを達成するための目標、目的、見積り、戦略、計画を策定する。同様に広報は戦略的方向性、計画のガイダンスおよび目標を分析し、これを支えるコミュニケーション・プランを策定する。司令官の意図は、コミュニケーション・プラン・シンクロナイゼーション全般のプロセスに取り入れるべきである。

　広報担当者は、情報作戦ワーキンググループや司令官のコミュニケ

ーション・シンクロナイゼーション・プロセスの一環として、広報活動を他の情報関連能力と連携させるべきである。

　また計画立案者は計画実行に先立ち、広報活動がスタッフ間で調整され、シンクロナイズされていることを確認する必要がある。

（b）計画立案者は、戦闘部隊司令部および統合軍内の他の計画立案者と日常的かつ継続的な関係を構築し維持する。スタッフ間のシンクロナイズは、広報活動の実施に必要なサービスや支援の利用を容易にする。

　広報計画は必要に応じて、ホスト国、国別チーム、他の米国政府省庁、政府内組織および NGO との調整を含むべきである。

（c）シンクロナイズされたコミュニケーション計画は、統合されたコミュニケーションの実施を確保するため、省庁間および他の関連組織の計画も考慮しなければならない。

　省庁間の取り組みは、地域の国々からの国際的な支持を促進し、地域的・世界的なパートナーシップを推進する機会を提供する。また軍事的活動に関する広報活動や公共外交への防衛支援（DSPD：Defense Support to Public Diplomacy）と、米国大使館や他の米国政府省庁が行なう同様の広報活動やパブリック・ディプロマシーとの間には相互支援の関係が存在する。

（4）インテリジェンス（情報）

　情報アナリストは、作戦環境の社会文化分析を行なうために、作戦環境の共同情報準備プロセスを使用する。社会文化分析は、住民やメディアなどに影響を与える重要な地域組織や個人を特定するのに役立つ。情報要件を満たすため、広報は情報、監視、偵察の支援を要請し、広報の任務を支援するための画像を収集することができる。また通信計画プロダクトの開発を支援するため、重要な情報要件を提出したり、関連する情報プロダクトへのアクセスを要求したりすることもできる。

《情報画像支援を要請する広報活動》

　イラク戦争（Operation IRAQI FREEDOM）の期間中、統合航空作戦センターの広報担当者は、センシティブな標的を検証するため、作戦状況をモニターしていた。作戦センターの広報担当者は、連合軍機が周囲の民間建物やインフラではなく、意図した軍事目標を攻撃したことを証明するために、情報、監視、偵察プラットフォームがセンシティブな目標に関する画像を収集することを推奨した。この画像は一般公開のために機密解除された。（各種情報源）

（5）視聴覚情報およびCOMCAM

　広報プランナーは、視聴覚情報およびコンバットカメラ作戦を計画する際に考慮すべき広報情報の必要条件を特定する必要がある。視聴覚情報計画に関するより詳細な情報は、「第5章 視覚情報」に記載されている。

　市販のマルチメディア・プロダクトは著作権で保護されており、著作権者の同意なしに使用することはできない。

（6）コミュニケーション・プロダクト

　司令官は、広報要員が軍事作戦を報告し、国防総省のメディア資産を通じて直接公開するためのコミュニケーション・プロダクトを作成することを計画するべきである。

（7）米軍ラジオ・テレビサービス（AFRTS）

　米軍ラジオ・テレビサービスは、統合軍司令官と広報官に、作戦地域の国防総省要員と直接通信する手段を提供する。

　　（a）米軍ラジオ・テレビサービスは、小規模な基礎的な駐屯地・基地や食堂でのサービスを提供するために使用できる小型の無人衛星ラジオ・テレビ受信機から大規模なネットワークラジオ・テレビシステムまで、幅広い配備可能な機器システムを持っている。

　　さらに米軍ラジオ・テレビサービスは、統合軍司令官がメッセージ

を発信するため、メディア・オペレーションセンターにテレビなどの映像ニュース収集能力を提供することができる。

　１）作戦の初期段階では、米軍ラジオ・テレビサービスは戦闘部隊指揮官のメッセージを展開部隊に伝える最もタイムリーなチャンネルの１つである。

　２）有人の米軍ラジオ・テレビサービス施設設営に関する最初の検討は、野戦基地および前方地域への無線サービスを中心に行なうべきであり、後方地域にはテレビを検討し、作戦地域が成熟するにつれてさらに拡大すべきである。また広報は国防総省上層部が展開部隊と直接通信することを要望することを織り込んでおく必要がある。

　３）さらに戦闘部隊指揮官が承認した場合、米軍ラジオ・テレビサービスは国防総省に緊急声明を送信することができる。米軍ラジオ・テレビサービスのテレビ機能は、食堂やレクリエーション施設に設置することができ、作戦の進展にともなってさらに拡張することができる。作戦上の要件を満たすために、幅広い米軍ラジオ・テレビサービスのオプションが利用可能である。

　４）米軍ラジオ・テレビサービスは、厳しい環境において、ラジオやテレビのニュース報道を受信し、他のタイプの国防総省情報や娯楽プロダクトを入手するための小型衛星システムを提供することが可能である。

（b）米軍ラジオ・テレビ局の資産を作戦地域に配備するには、通常、周波数、不動産、施設に関する特別な承認を必要とし、これは通常、メディア・オペレーションセンターで調整されなければならない。

　また米軍ラジオ・テレビ局の将校が米軍ラジオ・テレビ局を指揮し、メディア運営センターのメンバーとして活動する。

（c）米軍ラジオ・テレビサービスは、いかなる種類の政治的目的ま

たは軍事情報支援活動（MISO）のために使用してはならない。また
国防総省内部と一般社会をつなぐ最初の鍵となることから、社会の利
益にならない番組を制作または放送してはならない。

　米軍ラジオ・テレビサービスの計画に関する支援については、付属
書D「国防メディア活動」を参照するか、国防メディア事務局
（DMA）（www.dma.mil）に問い合わせること。

（8）主要リーダーへの関与（KLE）/地域社会への働きかけ

　主要リーダーへの関与（KLE：Key Leader Engagement）について
は、広報の主要な任務ではないが、広報は助言的な役割を果たすことが
できる。主要リーダーと地域社会への働きかけについては、統合作戦指
揮官のスケジュールを最適化するのではなく、作戦への関与を通じて現
地と地域の主要なリーダーを巻き込むものである。なお効果的な関与と
影響力を持つまでに関係を築き上げるのには時間を必要とする。

　海外では、平和維持活動、対反乱戦、外国内の防衛、テロ対策、非正
規戦、安定化作戦、その他多くの 統合作戦において、多国籍軍が現地・
地域の主要なリーダーの考え方に影響を与え、影響を及ぼすことが必要
である。米国内では、地域社会からの継続的な支持がミッションの成功
に不可欠である。特に対人関係が重視される環境では、公的・私的なメ
ッセージを作成し、効果的な伝達手段を見つけることが課題である。文
化的背景、認知指向パターン、コミュニケーション手法の理解は、あら
ゆるコミュニケーション・アプローチに不可欠である。

　文化的・社会的背景、視点、能力、強み、弱み、権限、影響範囲、動
機付けなどを深く理解することが、永続的な人間関係を築くために必要
である。主要リーダーと地域社会への関与は、米軍の目標と目的を支援
してもらえるよう、十分な強さと深さのある関係を、時間をかけて構築
することが最も効果的である。

（a）主要リーダー担当チーム（KLE Cells）

　主要リーダーへの関与を担当するチーム（KLE Cells）が設けられ
る場合、対面での交流を行ない、トピックやメッセージについて海外

の現地事情に合わせて調整する。このプロセスの代表者には、広報、統合参謀本部計画部、情報作戦部および民政部の要員が含まれる。

　海外において主要リーダーへの関与は司令官のコミュニケーション同期、情報作戦、広報、軍事情報支援活動およびパブリック・ディプロマシーに対する防衛支援（DSPD）の目標をサポートするよう構成設計される。

　このチームは、各主要リーダーに対して詳細な背景説明を作成し、平和と復興活動への支援を促すという司令部の全体テーマを伝えるための具体的なアプローチを提案する。コミュニケーション・プログラムを実施するためのツールとしてこのチームを活用すれば、司令官がリーダーと会うたびに、司令部の目標をサポートする効果的で一貫したメッセージを伝えられるようになる。

（b）主要リーダーと地域社会への働きかけにおける活動の割り当てと定期的な実施

　主要リーダーと地域社会への働きかけの担当分野を特定の個人に割り当てることで任務の矛盾をなくし、望ましい活動範囲を確保し、首尾一貫した取り組みを実現することができる。また定期的なミーティングにより関係を強化し、相互理解を深め、支援レベルを向上させることができる。

　1）担当地域全体における主要リーダーと地域社会への働きかけに関する担当分野の適切な割り当ての決定において、その分析を進める際には現地リーダー・有力者の影響力が及ぶレベル（戦術／作戦／戦略）、支援基盤、地域、地域コミュニティへの影響範囲における公的な状況を含める必要がある。そして、現地の重要な指導者がすべてカバーされるよう、重要な指導者と地域社会への関与に関しては適切な人材を割り当てる必要がある。

　同様に海外での取り組みの統一性を維持するために、主要な省庁間、政府内組織、NGO、多国籍のパートナーが関与する必要がある場合がある。このリストは上位リーダーのサポートが膨大になった

り、煩雑になったりしないよう慎重に管理する必要がある。

2）定期的な主要リーダーと地域社会への働きかけに関するミーティングは、基礎的な相互理解と関係の強さのレベルを維持するために、あらゆる計画に含まれている必要がある。このため主要リーダーと地域社会への働きかけに関する担当分野を部隊全体に広げ、これらの要件がサポート不能にならないようにすることがより重要となる。

　また主要リーダーと地域社会への働きかけの役割を、一般的な指揮官や将官だけでなく、副司令官や参謀長、さらには主要部局の長にまで拡大することを検討することは有益である。定期的かつ一貫したミーティングがない場合、重要な問題で主要リーダーや地域社会から支持を得るための理解の深さと強さを持ち合わせないことが多い。

3）主要リーダーへの働きかけを担当する者は適切に準備する必要がある。基本的な留意点は次のとおりである。

　a）目標を理解し、それに集中する

　b）相互尊重の態度をとる

　c）現地の会議・ミーティングのエチケットを守る

　d）忍耐強く、聞き上手になる

　e）話すべきときを知る

　f）通訳を使うときは、通訳者ではなく、ホストを見る

　g）確実に提供できることだけを約束する

　h）解決策に現地の主体性を根づかせる

　i）合意事項を確認または明確にしてミーティングを終了させる

（c）主要リーダーおよび地域社会参画の評価

　主要リーダーおよび地域社会参画に関するミーティング直後の報告会は、ミーティングによって得られた情報などの評価に不可欠であり、適切な焦点を有する計画を作成するために重要である。また評価

プロセスでは最終目的達成に向けた進捗状況を確認する。

　また主要リーダー参画ミーティング前にそれまでの具体的成果について事前に指揮官報告するのと同じように、同ミーティング後の報告会もプロセスの一部として、記憶や印象が新しいうちにミーティングの直後に実施すべきである。正確な情報を維持するために、どのような問題が話し合われたのか、その問題に対する主要なリーダーの立場、伝えられたメッセージやテーマ、要望、合意事項、その他の検討事項の明確化、印象などの情報についての取りまとめが重要である。

（9）メディアへのアクセス

　ニュースメディアは一般市民と軍人とのコミュニケーションにおける主要な手段である。国防総省のガイダンスでは、作戦をより深く理解してもらうために、通常、戦術機動部隊に報道機関のアクセスを指示している。

　（a）統合軍とその活動を報道するメディアとの間には、継続的な情報交換が必要である。公開取材と独自取材は、軍事作戦を報道するための主要な手段である。司令官はメディアと協力する機会を定期的に設けるべきであり、それは将来起こりうる軍事作戦に関するメディアの報道によって、統合軍と国家安全保障環境に対する国民の理解をかなりのレベルまで形成することができる。

　したがって統合軍司令官とその広報官は潜在的な行動やシグナルが、認識、態度、信念に及ぼす直接的・間接的影響に関する理解を絶えず評価し、タイムリーで文化的に適したメッセージを作成し発信すべきである。これは、米国民、同盟国やパートナー国の国民（その意見は取り組みの一体性に間接的な影響を与える）、米国が作戦を実施する国や隣接国、その他の地域諸国の国民（その米国に対する認識は米国の関与のコストと期間に影響を与えうる）についても同様である。

　（b）広報計画には、メディアが作戦を実施中の要員と接触する機会

を与えるための詳細なプロセス、手順および支援要件を含めるべきである。司令官は、実行可能な限り特定の作戦または期間、特定の部隊にメディアを同行させることができる。この慣行により、メディアは特定の部隊にとどまったり、作戦終了まで追跡したりすることで、より詳細な報道を行なうことができる。

　メディアを派遣する場合、特定の基本規則を定め、メディアと派遣部隊の双方がそれを十分に理解することが不可欠である。計画には、統合部隊とともに展開し、広報の正式訓練を受けていない者がメディアを護衛する場合、その収容と支援に関する詳細な規定を盛り込む必要がある。指揮官の安全上の懸念事項は、メディアの訪問が許可される区域を決定する際にも取り扱われる。

（c）指揮官は、活動部隊の現場訪問を行なう際、メディアを同行させることができる。この考え方は、長期間駐留できないメディアにとっては望ましいものである。またメディアは作戦を実施している現場部隊員に会う機会があり、上級リーダーからの視点も得ることもできる。

（d）広報は、統合軍司令官の指示やその他のガイダンスに基づき、地元や地域のメディアを支援する能力を持つべきである。

　効果的な広報活動には、文化的能力と言語的能力の双方が必要である。メディアに対する便宜供与、メディアへの対応およびメディアの護衛の任務は、英語を話さない記者、特にホスト国または地域のメディアの記者に対応できるものでなければならない。ニュース・リリースや広報用インターネット・サイトは、現地語や地域語の機能を備えていなければならない。またメディア分析は文化的背景を考慮し、広報活動の評価を正確に行なう必要がある。さらに家族は、英語以外の情報源からニュースを入手することができ、英語以外で実施された統合軍メンバーへのインタビュー記事や映像などについて、適時に情報を提供しなければならない。

(e) メディアのエスコート

1）広報要員は渉外役として行動すべきだが、取材プロセスを妨げてはならない。広報の任務は、メディアの報道が正確になるように、メディアの代表者や取材者が統合軍の作戦事項やさまざまな出来事を理解するのを助けることである。

2）多くの場合、メディアの行動には広報要員が随行していない。米軍の司令官は、広報要員の協力を得てメディアに対応するエスコート要員の不足状況を把握し、エスコート要員となる広報以外の要員に対する訓練や指導を行なうべきである。司令官は、この規定の下で活動する記者に対応するため、現地の状況に合わせた部隊計画を作成し、彼らが受け取る情報や支援に関するガイダンスを示さねばならない。付属書C「情報公開のガイドライン」には、メディア代表者に提供される支援と情報に関する一般的なガイダンスが含まれている。

(f) 報道関係者の資格と基本規則

1）統合軍広報担当官またはメディア・オペレーションセンター長は、外部記者の資格を確認するための基準を定める。資格認定は、特定のメディアのアクセスを制限するための管理手段や手段であることを意図してはいない。これは主として、ジャーナリストとして

《報道関係者のエスコート》
　記者が作戦地域内を移動する際に、それを支援するための護衛を用意することは、統合軍司令官とメディアにとって相互に有益である。これらの護衛は、訓練を受けた広報担当者である必要はないが、メディア対応に関する訓練を受けた、訪問先の組織の知識あるメンバーであるべきである。これらの人物は、メディアを支援するための進行役として、統合軍を支援する。また、安全保障上および作戦上の制限に従って、軍人が自らの職務や任務について話すことを妨げてはならない。（各種情報源）

個人を認証し、作戦地域内の活動について報道する能力を高めるための情報を個人に対して提供する方法である。メディアの代表を信任することで、捕虜になった場合にジャーナリストとして認められ、戦争法の下で相応に扱われることも保証される。一部のメディアは、長期にわたって部隊に編入する。従軍記者は統合軍に登録され、身分証明書または必要に応じてジュネーブ条約カードを携行する。

2）資格証明書を求める記者は、指定された実施中の統合作戦に適応した基本規則に同意するよう要請される。司令官は統合部隊の広報官またはメディア・オペレーションセンター長の助言なしに、資格証明書を持たない未登録のジャーナリストに情報を提供すべきではない。

3）作戦司令官は、すべてのメディア代表が戦闘地域において適切な資格証明書を持つことを保証するために、適切な措置を講じる必要がある。しかし、情報環境がますますオープンになり、作戦地域に大勢のジャーナリストが姿を現すため、すべてのジャーナリストが適切な資格証明書を持つ可能性は極めて低くなっている。国防総省の資格証明書を持たないジャーナリストには、同資格証明書を持つジャーナリストと同じ機会や権限が与えられるとは限らないが、それでもすべてのジャーナリストをメディアプールとして考慮し、メディア・オペレーションセンターに登録するよう強く奨励する。登録の際、メディア・オペレーションセンター長は資格を持たないジャーナリストについても、定められたメディア基本規則を守るよう要請すべきである。特別な事情がない限り、国防総省主催のメディア向け訓練への参加は、米軍に随行するための前提条件とはならない。記者の資格停止または追放の決定は、統合軍司令官の同意がある場合にのみ行なわれる。

4）基本規則は、メディアがタイムリーな関連情報を入手しやすく

する一方で、進行中の作戦中に国防総省職員の安全や安心を脅かすような情報の公開を防ぐために策定されている。基本規則は、軍事作戦を取材したいというメディアの要望と国防総省の安全保障上の懸念を調和させるものであり、決して軽蔑的、恥ずべき、否定的、あるいは非礼な情報の公開を阻止することを意図したものではない。またメディアの基本規則にはメディアの安全、健康、福祉を保護するための要件が含まれる。さらにメディア基本規則には、情報公開のプロセス、指揮官に対するメディアのアクセス、インターネットが商用でない場合のアクセスおよび機密情報に意図せず触れてしまった場合のプロセスも含めるべきである。

5）多国籍軍の活動においてはメディア基本規則の制定、メディアの信任および必要な場合はメディアの追放に関する責任などについて、多国籍軍の適切な指揮系統とスタッフを通じて策定し、実施する。

　全体または一部を非締約国の政府または市民が所有するメディアは、友好国の政府または市民が所有するメディアと同じ配慮を受けられない場合がある。しかし、統合作戦と同じように資格を有しないジャーナリストには、資格のあるジャーナリストと同じように戦闘地域へ入る許可が出ない場合がある。彼らには、適切なメディア・オペレーションセンターに登録するよう奨励する必要がある。

6）ホスト国の中には、ジャーナリストの資格認定基準、アクセス規則および安全保障上の保護に関して、米国とは異なる特別な要件がありメディア活動に厳しい制限を課す可能性がある。特にリスクが高いのは、米軍が参加しているホスト国の活動へのアクセスをホスト国が拒否しているにもかかわらず、米軍の審査を受けたメディアによる当該活動へのアクセスをホスト国が許可する場合である。またメディアの代表者が米国のアクセス権を利用しているものの米国市民ではなく、さらに米国外のメディア関連会社に勤務している

場合、リスクは著しく高まる可能性がある。

　広報担当者は、米国が許可したアクセスが、外国の情報収集活動と受け取られかねないものを支援しないことを確認しなければならない。統合軍の広報担当者は、メディア代表が米国の要員や装備へのアクセスを許可される一方で、ホスト国への制限が尊重されることを、ホスト国および現地司令官に確実に伝えなければならない。また治安維持に関する担当者は、メディア代表を積極的に管理する方法を確立しなければならない。この状況はメディア・ガイドラインに記載され、メディア代表と広報専門官の両者が署名すべきである。

(g)　メディアプール
1）メディアプールは、米軍の作戦を取材するための一般的な手段としては使用されていない。実際のところ、現在の通信技術や作戦区域の大部分に関してメディアへのアクセスを開放していることにより、メディアプールは過去の作戦よりもその存在意義は小さくなっている。しかし、メディアプールが軍事作戦において迅速に情報にアクセスするために有効な手段を提供する場合がある。プールはできるだけ大きくし、できるだけ早い機会に（理想的には作戦終了後24時間から36時間以内に）撤収すべきである。ただし最新情報に早期アクセスが可能なメディアプールを設置しても、すでに現地入りしているジャーナリストが独自に取材するという原則が崩れることはない。

2）報道公開の条件下にある場合でも、極端な遠隔地、船上、スペースが限られた場所など、特定の条件下においてはメディアプールが適切である場合がある。このような場合、広報計画はメディアプールを形成するメディア（政府内部メディアを含む）の数と種類を明記すべきである。

　軍は適切な取材範囲と配分を確保するため、通常、印刷メディ

ア、放送メディア、業界メディアなどのカテゴリーを設定するが、これらに限定されないメディアプールのサイズと構成を決定する。一方メディアの代表者は各メディアに対する枠の配分を考慮し決定すべきである。

3）米軍はメディアプールの移送に責任を負う。完全な取材を確実にするため、司令官は可能であれば専用の移動手段を提供すべきである。取材が可能な状況下では、統合軍司令官は現地指揮官に対し、可能な限り記者を軍の車両や航空機に同乗させることを許可する権限を付与する必要がある。また司令官は政策と手続きの標準化を図るため、統合旅行規則のガイドラインに従うべきである。

4）指揮官は、部隊の能力と作戦状況に応じ、広報担当者に対しメディアプールと独自の資料・情報を適時に、安全に、互換性のある方法で送信できるような設備を準備しサポートする。政府の施設が利用できない場合、メディアは通常どおり利用可能な他の手段で情報を送信する。
　輸送支援と同様、メディアプールを使用する司令官は、メディアプールで作成されたニュース・プロダクトを伝送するための通信施設を提供する。独立した取材に携わる記者に対しても、使用枠を確保したうえで、同様の支援を行なう必要がある。司令官は、メディアが利用できる高度な通信能力を理解し、メディアとの早期かつ定期的な話し合いが、使用電波周波数帯域の混乱を防ぐのに役立つと認識すべきである。図3-4は、国防総省がメディアプールを支援するためのいくつかの具体的な検討事項を概説している。

5）指揮官は、メディアプールの形成が組織に追加的な支援要件を強いることを理解する必要がある。指揮官がメディアプールが必要であると判断した場合、広報計画には場所と民間輸送手段の利用可能性に応じて、メディアからの経費清算を含める必要がある。

図 3-4 国防総省のナショナル・メディア・プール支援

- ●頻繁で包括的な非機密の作戦説明
- ●戦闘または演習が進行中の区域への立ち入り。報道関係者の身の安全は彼らを排除する理由にはならない。その目的は、報道関係者を部隊に随伴する非戦闘員として扱い、任務遂行中の組織に同行させることである。
- ●主要な指揮官やスタッフへの合理的なアクセス
- ●報道機関のメディア・プールにおける要望を調整するため、中佐または大佐の階級である司令部の士官・将校を配置する。
- ●旅程計画によりニュース・メディア・プールメンバーを作戦地域内に分散させることができる。
- ●作戦や演習に参加するすべての部隊から邪魔にならないよう協力すること
- ●報道陣と護衛要員の後方支援は、既存の有事用または演習用の資金で行なう。必要な支援には、以下のものが含まれるが、これらに限定されない。
  - ・米国本土から作戦地域または演習場までの空輸
  - ・米国本土から作戦地域または演習場への空輸
  - ・作戦地域をカバーするための陸上、海上および航空輸送
  - ・食事と宿泊施設の提供（経費精算）
  - ・状況に応じて適切と判断される装備の支給ヘルメット、水筒、防弾チョッキ、寒冷地用衣服)
  - ・記事を送信するための通信施設の優先的利用

d. 具体的な作戦のための広報計画

（1）概 要

　司令官は軍事作戦の範囲において、統合軍を支援するために広報活動が調整されていることを確認する必要がある。国民とメディアは、いかなる状況においても事実の本質に関心を持つが、その背景、根本的な根拠および各作戦に特有の基本的要素を理解しなければその情報は不完全なものとなる。経験によれば行政当局による防衛支援、海外人道支援、事態の影響管理、平和活動および同様の活動に対するメディアの関心は、初期にピークを迎えた後、徐々に薄れていくことが多い。広報計画はこれを考慮に入れるべきである。

また司令官とその広報担当者は、特に組織構造、戦略、目的、戦術、訓練、後方支援、情報、兵員支援に関する問題について、適時に検討をする用意をしておく必要がある。こうした分野の詳細を検討することで、明示されている政治目標との関連で軍がどのように機能するのか、役割があるのかについてメディアと国民の理解を高めることができる。

（2）海外人道支援

　海外人道支援活動とは、米国およびその領土の外で、人間の苦痛、疾病、飢餓、窮乏を直接的に緩和または軽減するために行なわれる国防総省の活動である。米軍が提供する海外人道支援は、一般にその活動範囲と期間が限定されている。提供する支援については、人道支援提供の第一義的責任を負うホスト国の行政当局または機関の活動を補足または補完するように調整される。

　（a）これらの任務は、政治的目標と軍事的目標の微妙なバランスをともなうものである。海外人道支援ミッションには受け入れ国、米国の各省庁およびNGO救援組織との作戦上、情報上の調整が含まれる。海外人道支援活動はメディアや世論の関心が高いため、通常以上の広報能力が必要となる場合がある。複数の米政府省庁や政府内組織、またしばしば他国の代表が活動に関与する可能性があるため、情報や画像の公開の承認を得るのに必要な調整が複雑になりかねない。統合軍司令官とその広報担当者は、国防総省の対応力、関心、援助を提示する際に、対象国の政治指導者や現地の人々の権限を先取りしたり、他の貢献者を犠牲にして成功の手柄を立てたように見せたりしないよう、十分注意を払う必要がある。広報計画者は、ホスト国や現地政府、その他の組織の努力に対する米国の支援の役割を強調することができる。また広報計画は、その活動で必要とされる米軍独自の能力に焦点を当て、他組織の主要な活動を補強することができる。

　（b）救援活動を調整するために民軍運営センター（CMOC）が設立

された場合、広報担当者は民軍運営センターを通じて活動を調整する。民軍運営センターがない場合、対人援助活動は統合任務部隊のスタッフおよび国別チームを通じて、関係する米政府省庁との間で調整される（その他の指針はJP 3-29「海外人道支援（Foreign Humanitarian Assistance）」を参照）。

（3）麻薬対策活動

不法な麻薬密売を削減または排除するためにとられる具体的な行動は数多くあり、広報計画時には特別な注意が必要である。

最も重要なことは、麻薬対策活動には法律と法執行の側面があり、それは非常にセンシティブで、一般社会に情報を公開する場合は多くの懸念を生みだす場合がある。

司令官と広報計画担当者は、麻薬対策活動に関する情報を、いつ、どのように公表するかを決める際、コミュニケーションの意図する効果と、意図しない効果を十分考慮しなければならない。情報の公開は軍人、民間の法執行官、裁判中の他の参加者の安全や情報システム、情報源の安全性に影響を与える可能性がある。

さらに国防総省は通常、省庁間の取り組みの一部として支援的な役割を果たす。政府全体の一貫した広報メッセージを確保するためには、省庁の広報カウンターパートとの緊密な連携が不可欠である。広報計画は作戦保全対策と同様に、一般市民への適切な情報公開を考慮しなければならない（追加のガイダンスについてはJP 3-07.4「対麻薬作戦（Counterdrug Operations）」を参照）。

（4）テロとの戦い

テロリストの脅威と行為は、メディアが密集している環境で発生する。そのためテロとの戦いに使用される戦術、技術、手順が明らかになるような報道を防ぐことが不可能である場合がある。すなわち広報計画担当者は、生中継やライブに近い形でメディアが直接取材する可能性を予測し、それに対応しなければならない。

また作戦保全や情報セキュリティと矛盾しない範囲で、国防総省の活動に関する情報をできる限り一般市民に提供するよう努めなければならない。メディアに情報を提供する際、広報担当者は一般市民の正当なニーズを、テロリストに対する情報の価値と比較検討しなければならない。テロ対策計画の主な目的は、正確な情報が一般市民（メディアを含む）に提供されることを確実にし、進行中の出来事に対して冷静で慎重、かつ理性的な反応を伝えることである。国防次官補（広報）は、米軍の対テロおよびテロ対策作戦のすべての広報面に関する唯一の担当者となる（テロとの戦いに関する追加ガイダンスについてはJP 3-07.2「対テロリズム」およびJP 3-26「対テロリズム（Antiterrorism）」を参照）。

（5）非戦闘員避難作戦（NEOs）

（a）非戦闘員避難作戦は、国務省を支援し外国のホスト国において生命の危険にさらされている民間人および非戦闘員、任務などに必要のない軍人、特定のホスト国の国民、第三国の国民を適切な安全な避難所に避難させるために実施される。

（b）統合任務部隊の広報官は大使館員と協力し、非戦闘員避難作戦に関する 発表を計画・調整し、当該任務の責任者または指定された代表者がすべての広報発表を承認したことを確認する必要がある。

この種の作戦が急速に発展していることから（2006年7月のレバノン非戦闘員避難作戦など）、広報官は海上を含むあらゆる環境でメディア活動を行なえるよう準備する必要がある（その他の指針についてはJP 3-68「非戦闘員輸送作戦（Noncombatant Evacuation Operations）」を参照）。

（6）平和活動（PO）

平和活動は広義の用語であり、紛争を封じ込め、平和を修復し、和解と再建を支援する環境を整え、合法的な統治への移行を促進するため、軍事的任務を持つあらゆる国力の手段が関与する多機関・多国籍の危機

対応活動および限定的な有事対応活動を包含するものである。

平和活動中に広報が最も懸念するのは、紛争当事者が自分の立場を有利にするため、または他の当事者より優位に立つために偏向した情報を公表し、紛争を長引かせる可能性があることである。

こうした活動は組織的なメディア活動に発展する可能性があり、広報要員が情報を修正することは困難である。一方で広報は、メディアに公開可能な情報をタイムリーに提供することで、ニュースにおけるさまざまな憶測のレベルを下げることができる（追加のガイダンスについてはJP 3-07.3「平和活動（Peace Operations ）」を参照）。

（7）民軍共同活動（CMO）および民政部門

（a）民軍共同活動は、地域またはホスト国内の安定の再確立または維持に関する目的の達成を直接支援することにより、軍と現地住民および制度との関係を確立、維持、影響、または利用する指定民間事務または他の軍によって行なわれる指揮官の活動を包含している。

統合軍司令官は、統合作戦における民軍共同活動に責任を負い、すべての民政活動は民軍の活動を支援する。その性質上、その任務は通常、前向きなものであり、その結果は現地住民とそのメディア代表者の関心を引くものである。治安維持要員と民政部門は、現地住民への情報提供を支援し、広報要員は現地メディアとの交流に責任を持ち、これらのメディアを通じてオーディエンスに適切な情報を伝えることで、民政部門を支援することができる。作戦リスク評価は特に活動が公になるにつれ、民軍共同活動要員および支援される住民の作戦保全と物理的安全性を維持するための継続的なプロセスとなる。

（b）広報要員は、司令部の情報公開の場を通じて、避難民の状況、作戦地域からの秩序ある撤退のための方法と手順および統合軍司令官が適切と考えるこの問題に関するその他の情報を軍事部門に周知させる責任を有する。

（c）民軍共同活動に関する広報は、米政府および米軍が現地住民、国際社会に対して善意を示す効果的な方法である。しかし、広報による民軍共同活動や民生部門の活動に関する情報の公開が、諸活動に悪影響を与えないようにするためには調整が必要である。たとえば民政部門と協力して人道支援を行なうNGOは、独自の広報活動上の利害を持つ場合がある。NGOの中には、軍より先に特定の支援者に届くよう、自ら活動を広報することを好むものもある。また敵対する派閥との中立性を保つために、軍と協力するNGOの広報を避けるNGOがあるかもしれない。民政部門と協力する場合、広報官は民軍共同活動の協力精神を維持するため複数の利害関係に敏感でなければならない。調整は主として民軍共同活動センターを通して実施されるが、通常のスタッフレベルの調整は情報作戦チームのような他の機関を通して行なわれる（その他の指針はJP 3-57「民軍作戦（Civil-Military Operations）」を参照）。

（8）大量破壊兵器対処（CWMD）

（a）大量破壊兵器対処と化学・生物・放射線および核の影響管理（CBRN CM）は、管轄区域の境界を越える可能性があり、統合・協調した取り組みを必要とし、効果的な任務遂行のために多くの省庁間および多国籍パートナーを必要とする任務である。国防総省は多くの場合、他の主導機関を支援し、また多国間活動を支援することになる。

（b）広報は社会の混乱やヒステリックな状態を避けるため、米国政府省庁やNGOと協力し、リスクや対応に関する情報を迅速かつ効果的に国民に伝えるべきである。

（c）大量破壊兵器（WMD）に関する情報の公開は、米国務省や他の外交窓口など、国防総省以外の通信回線や権威を必要とする場合がある。

（d）多岐にわたる情報を扱うことができる能力を広報は有していることから、広報を大量破壊兵器対処と化学・生物・放射線および核の影響管理ミッションを支援するために使用することができる。適切な任務が与えられれば、コンバットカメラのような部隊は、大量破壊兵器施設や大量破壊兵器への対処活動の文書化のために貴重な支援を提供できる（追加情報についてはJP 3-40「大量破壊兵器対処（Countering Weapons of Mass Destruction）」、JP 3-41「化学、生物、放射線および核影響管理（Chemical, Biological, Radiological, and Nuclear Consequence Management）」、JP 3-11「化学・生物・放射性物質および核環境における作戦（Operations in Chemical, Biological, Radiological, and Nuclear Environments）」および CJCSM 5225.01 「大量破壊兵器対処情報の分類ガイド（Classification Guide for Countering Weapons of Mass Destruction Information）」を参照）。

（9）人員の回復（PR：Personnel Recovery）

人員の回復は、孤立した人員の回復と再統合の準備と実行のために、軍事、外交、行政の努力を用いることに焦点を置いている。国防総省の職員（米軍、国防総省の文民、国防総省の請負業者）は、戦闘中または非戦闘中に孤立することがある。

人員回復には、報告、所在確認、支援、回復、再統合の５つの実行タスクがある。支援と社会復帰の任務には、広報の役割が極めて重要であり、国防総省、米政府の省庁、多国籍パートナー、業務契約企業で調整する必要がある場合がある。

広報は孤立した要員の処遇とその回復の可能性に影響を与えることがある。広報計画は、一般に公開するのに適切な情報の内容と量を決定するために、関連する利害関係者を含めるべきである。公開される情報は、情報の公開と孤立した人物の保護との間でバランスがとれていなければならない。国防次官補（広報）は人員の回復に関する情報発信のすべての広報の側面について包括的なガイダンスを提供するが、その責任を関連する作戦指揮官または部隊の広報官に委ねることができる（人員

の回復に関する追加のガイダンスと情報についてはJP 3-50「人員の回復
（Personnel Recovery）」を参照）。

4. 実 施

a. 組 織

　統合軍における広報スタッフの規模と組織は任務要求に応じて変化す
る。

b. 広報管理活動

　広報スタッフがどのように編成されるかにかかわらず、広報スタッフ
は以下のことを行なう。
（1）指揮官に対し、広報の助言と支援を実施
（2）作戦の分析、計画、実施、評価に参加
（3）適用されるすべての機能横断的なスタッフ組織（例：委員会、本
部、セクション）に参加
（4）他の職員と協力し、継続的に情報環境を精査する
（5）コミュニケーションのガイダンスおよび計画を研究、開発、調整
（6）必要に応じて、広報付属書を作成し、他の付属書の作成をサポー
ト
（7）コミュニケーション活動を実施し評価
（8）将来の広報優先事項について、短期的および長期的は視点での提
言の実施
（9）適宜、他の米政府省庁、ホスト国およびNGOと広報活動を調整
（10）広報計画と評価を支援するための情報要件を確認
（11）視聴覚情報と画像の必要性を確認
（12）必要に応じて、メディア・オペレーションセンターの設置と管理

（13）世論、メディア報道、感情分析を監視・評価

（14）評価に基づき、コミュニケーション・ガイダンスと計画を修正

（15）コミュニケーション・プロダクトを制作し配布

（16）報道機関と交流する各個人のレベルに応じたメディアトレーニングを統合部隊のメンバーに提供

（17）軍事活動に関するタイムリーで正確な情報を配布

（18）メディアおよび国民からの問い合わせに対応

（19）作戦における情報および広報の役割について統合軍司令官、幕僚を教育

（20）作戦区域における地域社会への関与を支援するプログラムを構築

5. アセスメント（評価）

a.アセスメントとは、任務達成に向けた統合部隊の進捗状況を測定するプロセスである。これは、すべての軍事作戦の間、あらゆるレベルで行なわれる。継続的な評価は、統合軍司令官と統合軍が作戦を調整し、目的が達成され、軍事的最終状態が達成されるのを確実にするのに役立つ。

広報アセスメントの主な目的は、作戦環境内において指揮官がコントロールすることのできない影響を特定、測定、評価することであるが、計画プロセスの早期統合によって策定された体系的かつ包括的な指揮官のコミュニケーション活動に関する整合によって効果を上げることが可能である。

b. 指揮官と幕僚が、任務の達成、条件の整備、結果の達成に向けた進捗状況を判断するために、何をどのように測定するかを検討する際、アセスメントは任務分析中に始まる。何を測定するかのベースラインは、この時点で確立される。

（1）長期的な広報目標は、作戦計画または作戦目標を支援するものでなければならない。広報計画者は、広報がその構成とメカニズムの

中で、目的達成のためにどのように貢献できるかを明らかにする。

　目的の進捗状況の評価には、同じ有効性の尺度とパフォーマンスの尺度が含まれるべきである。また、インパクト指標は有効性の尺度とパフォーマンスの尺度のそれぞれについて設定される必要がある。これは、当初から共同計画プロセスに参加し、アセスメント計画担当者と共同で行うことで達成される。

　（2）この最初の評価基準は、その後のアセスメント基礎となる。

c. さまざまなオープンソースを使用した戦術的広報プロダクトと活動のメディア分析または評価は、機密情報収集ソースと組み合わせて、情報環境評価の更新を提供することができる。

　また内容分析、コーディングなど、さまざまな評価方法を用いて、指揮官や計画立案者に最新情報を提供することができる。

　アセスメントの実行は、現在の作戦と将来の計画の両方の調整に貢献させる必要がある。

第4章 ホームランドでの統合広報活動

> 「この規模の事故に対する包括的な『政府全体』の危機広報計画を実行できなかったことは、対応組織全体で情報を管理し、メッセージを指示し、効果的な危機広報を行なう能力にマイナスの影響を及ぼした」
> （ディープウォーター・ホライズンに対する連邦政府の対応 2011年12月 Lessons Learned）

1. 概 要

a. ホームランド内で行なわれている作戦中の広報は、第3章「統合作戦における広報 」で述べた統合作戦中に行なわれる作戦の計画・実行とは多少異なる。

b. 大統領政策指令-8国家準備（Presidential Policy Directive-8, National Preparedness）に従い、国防総省広報は国家対応フレームワーク（NRF）にある事態コミュニケーション緊急政策・手続きに関する指針に従って運用される。

　この文書は、連邦政府の事態対応中に、すべての連邦政府事態コミュニケーション担当者に詳細なガイダンスを提供する。これは、協調的かつ持続的なメッセージを準備し、配信するためのメカニズムを確立し、連邦政府が事態を迅速に認識し、緊急情報を国民に伝達するためのものである。

　緊急事態対応のコミュニケーションの方針と手続きは、国家対応フレームワークに含まれる2つの付属書から構成される。

（1）広報サポート付属書

　一般市民との事態発生時のコミュニケーションに関する省庁間の方針と手続きについて説明する。

（2）緊急支援機能（ESF）第15項渉外に関する付属文書

　常設業務手順書。広報を含む渉外に関する機能、資源、能力を概説する。

c. 国家対応枠組の下で、国土安全保障省（DHS）は連邦政府広報の調整機関であり、緊急支援機能（ESF）第15項を発動させる責任がある。国防総省は通常、支援機関として機能する。

d. 国防総省からの支援を含む連邦支援は、州、準州、コロンビア特別区、部族管轄地域（インディアン自治区）、地方の管轄区域および他の米国政府省庁に、さまざまなメカニズムや権限を通じて、いくつかの異なる方法で提供されることがある。

　多くの場合、連邦政府の支援は国土安全保障省による調整を必要とせず、大統領による大災害や緊急事態宣言がなくても実施することができる。国家事態管理システムは、事態の規模、範囲、原因にかかわらず、事態管理のためのひな形を提供する。これには、事態時の指揮システム、複数機関の調整システム、統一指揮、訓練、資源の識別と管理（資源の種類を分類するシステムを含む）、資格と認定、事態情報および事態資源の収集、追跡、報告を網羅する概念、原則、専門用語、技術の中核となるコンセプトが含まれている。

e. 国防総省は緊急対応権限および／または相互援助協定の下で行政当局を援助する。この種の対応は局地的な事態から、より大規模な国家的対応へと迅速に移行することができる（国土における作戦の詳細については、JP 3-28「行政当局防衛支援（Defense Support of Civil Authorities）」およびJP 3-27「国土防衛（Homeland Defense）」を参照）。

2. 要求事項

a. 人　材

　国土保全活動のための広報・視聴覚情報のスタッフ人材の要件は状況により異なる。既存の統合作戦計画、緊急事態計画、統合人員配置文書に、特定の潜在的な作戦のための人材要件が明記されている。さらに統合参謀本部議長は毎年、常設の行政当局防衛支援命令を出し、派遣部隊を提供する司令部が潜在的な要件を検討できるようにしている。これによって、戦闘部隊指揮官は必要な要員を派遣準備命令の状況下に置くことができる。効果的な活動を行なうためには、十分な数の広報スタッフが早期に配置されなければならない。

b. 施　設

　通常、国土防衛活動での広報活動は、固定された建物（ホテル、武器庫、オフィスビルなど）で行なわれる。多くの場合、商用電話やインターネット接続（有線、無線、携帯電話）が利用できる。国葬やその他の計画的なオペレーションの場合、施設は広報をサポートするためにあらかじめ指定され、配線されていることがある。広報活動を支援する要員は、通常、商業的な宿泊施設や地元のレストランを利用する。

c. 機　材

　必要な場合、国土防衛活動を支援するために派遣される広報と視聴覚情報のスタッフは、携帯電話と無線アクセス可能なラップトップ・コンピュータを持つべきである。ポータブルで放送品質を有する視聴覚情報送信システムを利用できる広報スタッフは、そのシステムとともに派遣され作戦を支援できるよう準備する。広報と視聴覚情報の担当者は、デ

ジタルカメラを携行し、ノートパソコンに静止画・動画編集ソフトとデータ転送ソフトを備えておくべきである。

　国土安全保障省での活動中、要員は常に「.mil」ドメインにアクセスできるとは限らず、通信には商用または公共システムに頼らざるを得ない場合がある。可能であれば、政府緊急通信サービスや無線優先サービスカードを持って派遣すること。

d. 訓　練

　国土防衛活動を支援するために派遣される広報と視聴覚情報のスタッフはすべて、広報に関連する国家対応枠組の実務知識を備えている必要がある。連邦緊急事態管理庁（FEMA）のオンライン訓練コースは、http://training.fema.gov で入手できる。

3. 計画立案

a. 本土における作戦活動についての広報計画は、基本的に他の統合活動と同じ段階を踏む。国防総省による民間機関支援のための広報計画は、正確で、連携し、適時に利用可能な情報を提供するという緊急支援機能（ESF）第15項の要件を支援するように調整される。広報と視聴覚情報の活動は、政府および民間組織全体で計画、調整、統合されることが重要である。

b. 広報計画者は緊急支援機能（ESF）第15項を支援するために、計画および関連する付属文書が、以下のように適切な責任、プロセスおよびロジスティックスを定義していることを確認する。
　　（1）連邦政府、州政府、準州政府、先住民自治体および地方政府とのメッセージの調整を行なう。
　　（2）統合情報センター（JIC）を支援する。

（3）事態に関する情報を収集する。

（4）メディアや他の情報源を通じて、事態に直接または間接的に影響を受ける個人、家庭、企業、産業に利用しやすいフォーマットおよび必要に応じて多言語での事態関連情報、視聴覚情報を提供する。

（5）正確な情報が配布されていることを確認するため、報道を監視する。

（6）政府高官やその他の要人による事態関連地域の視察のための記者会見や報道業務など、適切な特別プロジェクトを取り扱う。

（7）報道機関が国民に情報を配布するのを支援するために、通信や物資などの基本的なサービスを提供する。

4.実 行

a. 軍の対応を必要とする国内事態は、一般に短期間または事前通告のない事態である。具体的な国防総省広報の責務は、さまざまな作戦司令部の計画と常設の広報ガイダンスに概説されている。その事件に関する実施命令または断片的な命令は、広報の態勢とメディア関与の方針を提示する。事件特有のガイダンスは、参加機関と連携して、主要機関により作成される。

b. 国土で行なわれる作戦は、国土防衛または民間当局の防衛支援活動のいずれかであり、それに応じて計画、実行される。国防総省広報の支援は、特定の活動に対する計画に基づいて展開される。

c. 民間当局の防衛支援活動への最初の国防総省広報の関与は、多くの場合、関係する国土安全保障省／連邦緊急事態管理庁に配置された国防調整官（Defense Coordinating Officer）と、設置されていれば国防調整部隊（Defense Coordinating Element）を通して行なわれる。国防調整官と調整部隊は軍事支援の要請を検討、送達し、国防総省の指定するルート

を通じて軍事組織に任務の割り当てを行ない、適宜、活動中の緊急支援機能（Emergency Support Function）に軍事連絡官を配置する。

（1）広報担当者は防衛調整官、防衛調整部門および戦闘部隊司令官の広報担当者のために状況を評価する。また配備された他の連邦政府広報官との最初のインターフェースを担当し、メディアに対する国防総省の連絡役を務める。

（2）国防総省の対応が拡大する場合、広報スタッフは作戦司令部または統合軍司令部とともに展開し、国防総省の活動や事態への対応を調整する。

（3）現地での活動を支援するために派遣される他の部隊は、本部要員に広報スタッフを含めるべきである。この広報担当部門は、部隊が連邦政府の対応をどのように支援しているかを示すため、メディアとの連携を行なう準備をしなければならない。

（4）他の省庁と機関は、広報、コンバットカメラおよび／または視聴覚情報支援の要請を行なうことができる。

d. 統合情報センター（JIC）

広報活動のかなりの部分は、影響を受ける人々の情報へのアクセスを容易にするために、メディアを支援することになる。

緊急事態と事態情報の公開を調整するために、統合情報センターが設置される場合がある。図4-1は緊急支援機能（ESF）第15項の構成による統合情報センターの組織を示しており、統合または地域や現地事務所というような、より高いレベルの対応で実施されるものである。

地方、統一対策本部または事態対応対策本部レベルで統合情報センターを支援する場合は、全国対応チーム統合情報センターマニュアルを参照する。

（1）統合情報センターは、事態対策本部（指揮所）や緊急活動センターのような、事態に関する最良の情報源の近くに設置されるべきである。国防総省や他の機関はしばしば、広報任務や機能を自らの機関

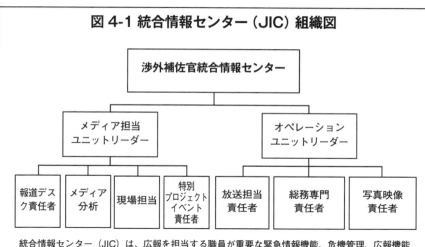

図4-1 統合情報センター（JIC）組織図

```
          渉外補佐官統合情報センター
                    |
        ┌───────────┴───────────┐
   メディア担当              オペレーション
   ユニットリーダー          ユニットリーダー
        |                        |
 ┌────┬────┬────┬────┐    ┌────┬────┬────┐
報道デス メディア 現場担当 特別      放送担当  総務専門  写真映像
ク責任者  分析        プロジェクト 責任者   責任者   責任者
                      イベント
                      責任者
```

統合情報センター（JIC）は、広報を担当する職員が重要な緊急情報機能、危機管理、広報機能を実行する中心的な場所である。統合情報センターは、さまざまなレベルの政府機関や事故現場に設置されることもあれば、複数機関の調整システムの構成要素となることもある。統合情報センターは1カ所であることが望ましいが、このシステムは必要に応じて、仮想または複数の統合情報センターの場所に対応できるよう、柔軟で適応性のあるものとなっている。

に代わって行なう別個のスタッフ（メディア・オペレーションセンターを含む）を持つことになる点に注意する。統合情報センターがない場合、国防総省広報は他の機関および主要機関と調整を行なう。

（2）統合情報センターが設立された場合、担当の部隊指揮官は 国防総省の部隊が派遣される際に、適切な広報スタッフが配属されるようにする。しかし、事態対処を支援する国防総省の広報スタッフの大部分は、統合軍司令官に割り当てられる。

（3）統合情報センターは、複数の機関や組織からのタイムリーで正確な情報を調整し、パブリック（一般市民）や他のステークホルダー（利害関係者）に公開する。事態対処指揮体制の下では、広報担当者は指揮系統を支える重要なスタッフの1つである。

　統合情報センターには3つの主要な責務がある。

（a）事態に関する情報データを収集する。

（b）事態対応に対する世論の認識を分析する。

（c）国民に情報を提供し、特定のオーディエンス（視聴者）に対

して事態とその対応に関する正確で包括的な情報の発信源となる。

（４）国防総省広報は独自の情報と視聴覚情報を発信するメディアの運用を行なうが、一貫したメッセージを提供し、機密情報の開示を避けるために発信情報のプロダクトを主要機関、または統合情報センターと調整すべきである。国内での活動は海外での活動とは異なるが、情報が公開される前に作戦保全と情報セキュリティーの問題を考慮しなければならない。

e. 行政当局に対する防衛支援活動中、戦闘指揮官の広報担当者は国家緊急事態通信会議回線（National Incident Communications Conference Line）をモニターする。これは連邦政府および影響を受ける州、地方および先住民自治体の間で、重要かつタイムリーな緊急事態情報（たとえば「速報」）の伝達と交換に使用されるものである。これは広報活動と通信の同期のための重要な情報源である。

（１）事態が重大な場合、国土安全保障省緊急対応室は国家緊急事態通信会議回線を継続的に監視し、各省庁からの最新情報を得ることができる。国土安全保障省広報スタッフは、国防総省や他の機関の広報活動に情報を提供するため、国家緊急事態通信会議回線の主要な通信と機関間の調整活動の概要を維持する。

（２）国防総省と戦闘部隊司令部の広報官は、緊急支援機能（ESF）第15項が発動された場合、国家緊急事態通信会議回線を介して国土安全保障省の緊急事態広報ガイダンスと日々のサマリーを受信する。

（３）持続的な緊急事態管理活動中、国家緊急事態通信会議回線は日常的または他の事故通信の調整呼び出しに使用される。戦闘部隊司令部の広報官は国家緊急事態通信会議回線の情報を管理し、隷下組織・部隊の広報担当者に配布する。

（４）国土における活動には、80以上の連邦省庁間パートナー、50の州、５つの準州、コロンビア特別区、562の先住民組織および数千の地方自治体が関与している可能性がある。パートナーと管轄区域の多

様性が広報の調整を複雑にしている。国家緊急事態通信会議回線と州の緊急事態通信調整回線（State Incident Communication Coordination Lines）は、広報がこの複雑さを管理するのに役立つ。

f. 国防総省広報ガイダンス

　国防次官補（広報）は、他の作戦や国土安全保障省の広報ガイダンスと整合的であるが、国防総省以外の参加者の情報も含めた、国土における作戦のための広報ガイダンスを作成することができる。さらに、国防総省の広報ガイダンスは他の機関には適用されないが、すべての参加機関と調整し配布する必要がある。

　広報官は、広報ガイダンスが適切でない、あるいは実行可能でない場合、広報計画を作成することができる。

g. 作戦指揮情報

　メディアの遍在性と複数のコミュニケーション手段に基づく作戦指揮情報の要求は、国土防衛における作戦では重要ではない。しかし、本国における広範囲にわたる作戦では、より大きな役割を担う可能性がある。

《行政機関の防衛支援対応》

　無通知の事態が発生した場合、地元の管轄区域は一般市民への情報提供を含む初期対応を行ない、地元機関の広報活動を統合するために統合情報センターを設立することができる。この時点で国防総省が関与している場合、軍の広報官（広報担当者）が地元の統合情報センターに参加すべきである。

　連邦政府の対応が必要な場合、通常、最初の統合広報活動は、国土安全保障省が国家緊急事態通信会議回線（NICCL）通話を行なうことである。この電話会議では、最初の統合広報ガイダンス（PAG）が作成され、統制（広報活動の主導機関）、調整（支援機関がどのように広報を調整するか）、連絡（主要メッセージ）が取り上げられる。支援される戦闘指揮官の広報官と国防長官室の広報官は、この呼びかけに参加すべきである。戦闘部隊指揮官は、対応する国防軍に結果としてのガイダンスを公布する。

　事態が進展するにつれて、緊急支援機能第15項と連邦政府対応者のためのJICが設立される。この統合情報センターは現地の統合情報センターと統合されることも、独立したセンターになることもある。参加するすべての連邦機関は、この統合情報センターに自機関の代表者を派遣し、統合情報センタースタッフとしての役割を果たす。戦闘司令部の広報官は、統合情報センターに広報要員を推薦する。統合情報センターに配属された要員は、同管理者から割り当てられた任務を遂行する。

　部隊が事態に投入されると、統合任務部隊（または類似の司令部機能）は、主に重要なメディア支援活動を行なうために広報機能を確立することになる。広報ガイダンスに基づき、国防総省の広報担当者は国防総省の活動に対するメディアのアクセスおよび報道を促進する。国防総省の広報活動は、その後の国家緊急事態通信会議回線（NICCL）コール統合情報センターを通じて、他の機関と調整される。

　統合情報センターは通常、連邦政府の対応全般を扱うプロダクトを作成し、事故現場またはその付近で共同記者会見を調整、実施する。事故現場での国防総省の活動は、連邦政府のコミュニケーション活動が一貫し、相互支援となるように、統合情報センターと調整される。国防総省はしばしば統合メディアイベントに参加し、または主題専門家の支援を提供する。

注：JICで使われる「統合」という用語は「複数機関」を意味する。出典：米国北方軍統合広報支援部隊（US Northern Command Joint Public Affairs Support Element）

5. 評 価

　すべての軍事作戦と同様、国土防衛作戦中の広報活動の評価は、その後の計画や将来の作戦に反映される。諸外国は、米国政府が国内の情勢にどのように対応するかについて関心を持っており、それを海外メディアが取り上げて報道する。広報官と広報スタッフは、国防総省の活動に関する国際的な報道を分析し、その内容を評価する。

第5章　視聴覚情報（VI）

1. 概　要

a. 視聴覚情報（VI：Visual Information）は、音声の有無にかかわらず視覚メディアであり、コミュニケーションの同期、指揮情報、地域社会の関与、公共外交、作戦計画、意思決定および訓練を支援するために使用される軍事情報の視聴覚部分の集合体である。視聴覚情報は、公式記録として軍事作戦および事態の法的、歴史的な記録を提供する。

　一般に視聴覚情報には、静止画および動画撮影、音声、ビデオ録画、グラフィックアート、その他の視覚的プレゼンテーションが含まれる。視覚情報記録識別番号（VIRINs）は、国防総省の各視聴覚情報資産を一元的に識別するものである。なお視聴覚情報は1次情報資料と2次情報資料の2つのソースからもたらされる。

b. 1次情報ソースは、支援を行なう軍事部門によって組織され、訓練され、装備されたさまざまな通信要員が配置された専門部隊、特別に訓練された人員、展開可能な部隊によって支援する統合部隊司令官のためにさまざまな公式メディアプロダクトを収集し作成するものである。

　視聴覚情報の1次情報ソースを担当する専門的な通信要員には、以下のものが含まれる。マスコミュニケーション専門家、戦闘放送局員、フォトジャーナリストおよび戦闘ドキュメンテーション／プロダクション専門家などを含むが、これらに限定はされない（詳細については「第2項 情報源」を参照）。

c. 視聴覚情報の２次情報ソースには、画像を収集する有人、無人および遠隔操縦のプラットフォーム上のセンサーが含まれる。これらには、情報収集プラットフォーム、兵器システムビデオ（WSV）および光学システムから取得され処理された画像が含まれる（視聴覚情報の他の２次情報ソースは「第２項 情報源」を参照）。

d. ニュース記事、プレス・リリース、記者会見などの他の形態の公開情報とは異なり、視聴覚情報は発生した事態を記録し、軍事作戦、演習および活動を記録する。視聴覚情報は国防総省の記録を提供するもので、重要なオーディエンス（視聴者）に対してフィルターを通さない視点を伝える。視聴覚情報は、統合広報のテーマとメッセージを支援するための情報を映像や画像として提供することで米軍の情報活動を強化する。

e. 魅力的な映像は、時に文化や言語の壁を越えることができる。人間は、質の高い画像によって表現されたメッセージをよりよく記憶し結びつける。民間メディアは、しばしば魅力的な視覚的コンテンツをともなったストーリーを発表し、伝統的なメディアやソーシャルメディアのチャンネルを通じて、統合テーマを増幅・拡大させることができる。

f. 視聴覚情報は、パブリック・ディプロマシー、情報活動、作戦計画、意思決定、法的措置、訓練および国防総省のビジネス機能など、広報以外のミッションに適するものである。広報以外のミッションのために作成された視聴覚情報プロダクトは、広報の目標をサポートするために潜在的に使用される可能性がある。視聴覚情報の多用途な例としては、連邦緊急事態管理庁の意思決定プロセスを支援するための国内災害の記録、戦争犯罪の証拠、米国政府に対する損害賠償請求に関する証拠の保全、戦場の状況を描写する訓練用資料の提供、兵器システムの効果の描写、事件現場での科学捜査上の証拠の記録（即製爆発物の起爆など）、軍事作戦による環境影響の記録などがある。広報以外のミッションのために作成されたこれらの視聴覚情報プロダクトの多くは、広報の目的を

支援するために再利用できる可能性があるが、広報官はその利用可能性を認識しておかなければならない。また視聴覚情報が作成された任務と条件にかかわらず、それは国防総省の公式記録となり、情報公開法、訴訟の証拠請求、またはその他の法的権限に基づき公開される可能性がある。

　したがって、すべての視聴覚情報は保管されるべきであり、国防総省のキャプション・スタイルガイドに従って、コンテンツを正確に説明するための完全なキャプションとメタデータをラベル付けすべきである。

g. 国防総省の視覚情報の記録が正確であることを保証するために、DODI 5040.02、視聴覚情報、エンクロージャ10で指定されている修正、変更、拡張を除いて、国防総省の公式画像は変更されない。国防総省の画像の信頼性は、厳格に守られなければならない。

2. 情報源

a. 統合軍司令官と広報官は、統合コミュニケーションの目標をサポートするために、さまざまな視聴覚情報のプラットフォームを計画し、採用すべきである。異なる情報源からの視聴覚情報は、画質、視界（手持ちや頭上などの撮影状況）、適時性などにより情報源の分類が異なる。部隊が活動する基準（目的、適時性、映像データのファイルサイズなど）と、条件を含む特定の視聴覚要件を伝えることで、任務達成に必要な適正な能力を割り当てることが可能となる。

b. 直接的な情報ソース（1次情報）
　一般に直接的な情報源は、ビデオ・ニュースリリース、文書報告、静止画の集成など、独立したコミュニケーション・パッケージとして製作された視聴覚情報を完結したストーリーとして伝えるものである。この直接的な情報源は、統合軍司令官と広報官のコミュニケーション目的、

図5-1 広報がプロデュースした視聴覚情報

2014年9月22日、米軍とパートナー国5カ国は、シリアのISIL（イラク・レバントのイスラム国）テロリストに対する軍事行動を実施した。米国は紅海と北アラビア湾の国際水域から活動するUSSアーレイ・バークとUSSフィリピン・シーから47発のトマホーク巡航ミサイルを発射した。

アーレイ・バークに配置された海軍広報支援部隊ウェストのカルロス・M・バスケスIIは、同艦が複数の巡航ミサイルを発射する様子を撮影し、その画像は世界各国の新聞の一面に掲載された。

（訳注：USS United States Ship 米国軍艦）

テーマ、メッセージをサポートするために、目的に応じた視聴覚情報を計画、入手、制作する。

　視聴覚情報の主要な情報源は、コンバットカメラ、視聴覚情報活動、広報活動（派遣現地活動および組織的活動）、テレビやラジオなどの放送活動である。

　図5-1は、画像を提供した世界中の新聞の第1面に掲載された視聴覚情報源の一例である。

　（1）コンバットカメラは特別に訓練された部隊として現地に派遣され、作戦行動中における高品質の1次情報としての視聴覚情報を提供する。コンバットカメラ部隊は、最大30日間、厳しい環境下で戦術部

隊と一体となって活動できる即応チームを維持している。統合軍司令官は通常、コンバットカメラを作戦に統合する。各軍種は水中、航空、空挺作戦のような独自のコンバットカメラ部隊による情報収集能力を準備している。配備されたコンバットカメラ部隊は通常、軍事作戦、作戦計画、意思決定、法的活動、訓練および1.a項で述べたような国防総省業務の視聴覚情報支援を（兵力要求およびグローバル戦力管理プロセスを通じて）要請される（詳細な情報は、ATP 3-55.12/MCRP 3-33.7A/NTTP 3-61.2/AFTTP 3-2.41, Multi-Service Tactics, Techniques, and Procedures for Combat Camera (COMCAM) Operations で入手可能である）。

（2）視聴覚情報活動は、視聴覚情報を提供することを主な責務とする機能的な構成要素である。視聴覚情報活動は、当該任務担当部隊の中央視聴覚情報管理局が承認し、固有の防衛視聴覚情報活動番号により識別される。

（3）広報活動は、公共および組織機関の内部において情報として使用することを目的とした静止画、動画およびグラフィック制作のためのさまざまな基礎的な視聴覚情報制作能力を有し、移動や派遣および定まった場所で活動することができる。広報活動はいかなる種類の政治目的または軍事情報支援活動にも使用してはならない。

（4）ブロードキャスト活動は、ラジオおよびテレビサービスを通じて国内の視聴者に情報を提供することをサポートする。このために最適化された米軍ラジオ・テレビ局の施設および派遣可能な装備と編制で構成される。米軍ラジオ・テレビ局は、いかなる種類の政治目的または軍事情報支援活動のために使用されてはならず、国防総省内部のオーディエンス以外の人に向けて番組を制作または放送してはならない（詳細については、付録D「国防メディア活動」を参照）。

図5-2 インテリジェンス画像から視聴覚情報を作成

2014年9月22日、米軍とバーレーン、ヨルダン、サウジアラビア、カタール、アラブ首長国連邦などを含むパートナー国は、シリアでイラクとレバントのイスラム国（ISIL）のテロリストに対して軍事行動を実施した。戦闘機、爆撃機、無人機、トマホーク巡航ミサイルの組み合わせで、ISILの標的に対して14回の空爆を実施した。ミサイル攻撃の効果を示すため、地理空間画像による戦闘被害評価がメディアに公開された。

c. 視聴覚情報資料の中から、トマホークミサイル攻撃の効果を示す画像がメディアに公開された例は図5-2のとおりである。

（1）情報収集プラットフォームと兵器システムの映像

　軍事作戦では、指揮統制の円滑化、情報収集、友軍の安全確保を目的として、有人・無人の情報収集手段を常続的に使用している。さらに航空兵器システムの中には、航空機から発射された爆弾などの効果を記録するために設計されたビデオ・カメラが含まれているものもある。

　一般に、処理された地理空間プロダクトとウェポンシステムビデオ独自の画像は、航空オペレーションセンターを経由し、戦術、情報源、方法を明らかにする可能性のあるアビオニクス・データやその他のコンテンツが組み込まれているため機密扱いとなっている。収集された画像は、司令官が特定の画像を公開することを決定するまで、政策上、視聴覚情報とは見なされない。こうした情報はのちに正式な視

聴覚情報記録となり、視覚情報記録識別番号を付与され、DODI
5040.02「視聴覚情報」に従って取り扱われる必要がある。

情報、監視、偵察用画像はしばしば、司令官の広報目標に有益である
ことが証明されているが、機密扱いの手順が守られていることを確認
するために、J-2（統合参謀本部情報部）およびJ-3（統合参謀本部作
戦運用部）と直接調整を行なう必要がある。

（2）陸上および艦上の軍用装備に組み込まれたカメラシステム、す
なわちセキュリティ・カメラやヘルメット・カメラは、歩兵やその他
の非通信要員が着用する。

（3）軍事作戦中または作戦後に国防総省の職員が押収、捕獲、また
は没収した画像については、捕獲された敵の画像は、J-2（統合参謀
本部情報部）によって利用され、機密解除されれば有用な情報源とな
りうる。

（4）契約、寄付、譲渡によって国防総省が取得した画像のうち、統
合作戦および多国籍軍の作戦において国防総省または多国籍軍の契約
カメラマン、あるいは国防総省職員が個人所有のカメラで撮影したも
のがあり、広報官はこれらを取り扱うことがある。このような場合、
広報官は画像を使用する前に無制限の使用権利を設定し、米国政府の
法的・財政的権利を保護する。

3. 計 画

a. いつでも利用可能な視聴覚情報収集部隊の数は限られているため、対応計画と実施（APEX）システムにおける綿密な計画プロセスでは、必要な視聴覚情報製作能力および具体的な視聴覚情報要件を明確化することが重要である。これにより配備計画が効率化され、計画実行中の移動が容易になり、限られた資源を効率的に使用できるようになる。

　視聴覚情報に関する適切な要求は、要求された特定の種類の視聴覚情報を提供するために必要な能力に基づいて、部隊に対する要求書を作成する。たとえばメディア活動やソーシャルメディアとの交流を支援するため、ビデオニュースのリリースや写真を作成するために統合軍広報の要求として、米陸軍広報分遣隊または移動広報分遣隊を必要とする場合がある。

　地上戦パトロール、海上作戦、または航空機搭乗員活動の手持ちの静止画および動画が必要な場合は、コンバットカメラ・ユニットコードを要求することができる。展開可能な広報要員とコンバットカメラ部隊の正確な要求は、戦術、作戦および戦略的要件に基づき、割り当てられた指示および派生した視聴覚情報ソースを活用するよう調整されなければならない。

b. 計画項目

　統合作戦プログラム手順を用いた、統合作戦における広報を支援するための1次情報としての視聴覚情報能力の展開と使用に関する計画は、最低限、統合軍司令官の視聴覚情報要求、調整、管理、公開、送信およびアーカイブといった項目に対処する必要がある。

c. 統合軍司令官による視聴覚情報要件

　視聴覚情報プロダクトの要求事項を定義することは、計画プロセスの最も重要な側面である。計画プロセスの初期に要件を明確に定義するこ

とで、適切な能力が作戦の全段階に含まれるようになる。視聴覚情報要件の構成要素には、視聴覚情報の制作部隊と必要な画像の種類の2つがある。

（1）視聴覚情報制作能力

可能な限り、視聴覚情報制作能力の要件は、時系列的な兵力と配備データを用いて、部隊タイプ別に慎重に計画を立案していくべきである。現実的でよく練られた要件は、統合作戦中に適切な視聴覚情報制作部隊がプロダクトを生産、入手および配布するために配置されることを保証するのに役立つ。適切な視聴覚情報制作部隊を決定するには、その部隊が活動する条件が重要である。水中撮影を必要とする海上救助活動を支援する任務の場合、水面下の活動を記録する必要がある。同様に、手持ちの航空写真撮影が必要な場合は、航空機搭乗員の資格を持つ視聴覚情報部隊を要請する。視聴覚情報部隊が、敵対的または不確実な環境において地上戦闘部隊とともに行動することが予想され、武器および個人用戦術装備を持参する必要がある場合、部隊要請には、コンバットカメラ部隊が必要であることを確認するためにこの情報を含めるべきである。

（2）画像・映像

以下の質問をすることにより、司令官コミュニケーション・シンク

《視聴覚情報専門家識別番号》
VISION ID（visual information professional identifier）は、視聴覚情報記録識別番号の構成要素として使用される。VISION ID は、視聴覚専門家ごとに割り当てられる。VISION IDを取得するためには、撮影者は視聴覚情報専門家のウェブサイトから登録する必要がある。

ロナイゼーションで概説されたメッセージをサポートするために必要な画像を特定する。

　(a) 作戦任務、司令官の意図、司令官の重要な情報要件は何か？

　(b) その作戦・演習の重要なテーマやメッセージは何か？

　(c) これらのメッセージを視覚的に伝えるのに最も適した画像はどのようなものか？　その映像はどのように使用されるのか？

　(d) そのイベントの永続的な意義のために最も重要なビジュアルコンテンツは何か？　たとえば海外での人道支援活動のキーとなるテーマは「米国は困難な時期における誠実なパートナーである」かもしれない。このテーマを裏付ける映像には、米軍とホスト国の軍隊が協力して、自然災害の影響を受けた外国人に救援を提供する様子を映し出されるかもしれない。支援画像には、米軍機やその他の輸送機関を背景に、統合部隊が救援活動を行なう様子が含まれるかもしれない。

（3）次に示すのは、上記の質問を用いて司令部のテーマとメッセージに合致するよう作成されたイメージの例である。

　(a) 複数の軍や政府組織がともに活動する様子を描いたイメージ

　(b) 米国国際開発庁（USAID）、国連軍、国際社会のメンバー、NGOなど他の機関や同盟軍と交流する米軍

　(c) 作戦を支援するための軍の人員および装備の展開

　(d) 米軍の技術者活動

　(e) 米軍による人道支援・災害救援物資の搬入

　(f) 米軍の医療チームの活動

d. 業務調整

　統合軍と広報支援部隊との間の積極的な調整は、視聴覚情報要件を特定し、最適な能力の割り当てを迅速化するのに役立つ。他の統合軍情報関連部門との調整は、視聴覚情報要件の矛盾を解消し、視聴覚情報能力の効率的な活用を可能にする。統合コンバットカメラセンター（JCCC）

および統合コンバットカメラ・プログラムマネージャーとの早期の調整により、視聴覚情報自体と同様、視聴覚情報を作成する要員のタイムリーな受け入れ、配置および移動が可能になる。

（1）多国籍軍との連携は、視覚情報コンテンツ制作の特殊な課題が生じる。統合部隊に配属された統合コンバットカメラセンターの連絡士官は、多国籍パートナーとの視聴覚情報の制作と共有化するための調整をサポートすることができる。このサポートは彼らの情報資産に対して視聴覚情報記録識別番号を作成するもので、国防総省のガイドラインに基づいて、外国人と業務委託契約者が情報資産として使用するための視聴覚情報専門家識別番号を作成付与することが重要となる。また広報官が外国人や業務委託契約者が作成した視聴覚情報を公開し、国防画像管理運用センターや国防映像画像配信システムがその画像を取得・配信する前に、統合軍は米国政府がその画像に対して無制限の権利を有していることを示す法的文書を入手する必要がある。

（2）派遣されたコンバットカメラ部隊は、統合軍司令官の作戦・戦術統制下に置かれるまでは、所属する部隊に配置され、当該部隊の活動を視覚的に記録することになる。
　　しかし、作戦・戦術上の指揮統制が統合軍司令官に移管された後、コンバットカメラの優先順位は統合軍司令官の要求を満たすことである。このため、統合軍司令官は作戦の全段階において、コンバットカメラのために役務および統合広報の視聴覚情報に関する要請を優先させなければならない。統合広報の活動目的のために機密コンテンツの現地での処理（統合参謀本部情報部経由）およびメディアへの公開を迅速化するための非機密コンバットカメラ制作プロダクトの現地での公開権限の広報への委譲が、作戦・広報などの計画に含まれなければならない。

（3）画像のタイムリーな送信を支援するため、統合ネットワーク運用管理センター（JNCC）と帯域幅要件および機器を調整する。国防画像管理運用センターは、機密、未公開および未調査の画像を受領できる。統合ネットワーク運用管理センターは送信者に最適な送信方法を助言する。一貫して高品質の画像を提供するため、広報計画担当者は国防画像管理運用センターに対する評価指標と評価を含める必要がある。評価には、各イベントからのフィードバック、教訓（問題点と最善策）および利用可能な事後報告書を含めるべきである。

e. マネジメント

戦闘部隊司令部の計画担当者はグローバルフォース・マネジメントツールを使用して、コンバットカメラ要員を要請する。コンバットカメラの画像管理チームまたは連絡チームが要求画像を確認し、広報が承認した後の画像公開を迅速に行なうために配属されることがある。またコンバットカメラ司令部の画像管理チームが部内の画像要求と広報の画像要求の調整を行なう。

統合作戦中、広報を担当する指揮官は、派遣された画像処理部隊に対し、定期的な情勢情報のアップデート、新たな要件に基づく撮影割り当ての変更、担当区域で作成された視聴覚情報コンテンツに関するフィードバックを実施する必要がある。統合軍司令官の広報指揮官は、指揮下にある視聴覚情報作成能力について作戦展開にともなって、広報計画、指揮官のテーマやメッセージ、広報ガイダンス、そして新たな情報要件を完全にサポートする高品質の視聴覚情報コンテンツを作成する責任を維持すべきである。

f. 公表に関する権限

統合軍司令官は視聴覚情報公開の最終承認権限を持つが、付属書F（広報）および広報ガイダンスには、作戦中に作成された画像には公開権者の指定を含むべきである。多くの場合、広報官が指定された公表権者となっている。公表する機関は、一般公表する前に画像の綿密な審査

を実施する。広報官の公表権限において、画像の公表に先立ち可能な限り詳細な（たとえば事前段階でのキャプション情報など）を調整する必要がある。情報、監視、偵察用映像や兵器システムビデオ（WSV）についても、全体的な公表計画に組み入れなければならない。

　また情報、監視、偵察および兵器システム映像プロダクトを社会に対し公開するため利用可能にする必要がしばしば生起することから、担当部門を指定する必要がある（情報、監視、偵察および兵器システムビデオの取り扱いに関する詳細は「6.取得、機密解除/無害化および派生画像の転送」を参照）。

　画像の審査が終了し、公開が承認されると、共有された国防総省のリソースとしてライフサイクル管理を行なうため、画像の取得から24時間以内に国防映像画像配信システム、またはその他の適切な伝送手段で国防画像管理センターに迅速に転送される。国防画像管理センターは機密レベルまで分類された公開画像と未公開画像の両方を受け取ることができる。ただし国防画像管理センターは画像公開に関する許可責任は有していない。

g. 情報の送信
　画像の効率的な送信のため以下の点に注意する必要がある。

　（1）広報計画担当者は、部隊または統合軍の通信・情報技術指揮官、通信技術者および統合ネットワーク運用管理センターと連携し、画像送信要件の策定を支援する。画像はどこに、誰に送られるのか、配信の期限、帯域幅の優先順位、特別な要件の有無（例：安全な暗号化通信）などの重要な項目に対応する必要がある。担当の国防画像管理運用センターの連絡士官は、電話、電子メール、または Web（www.defenseimagery.mil）を通じてこれらの質問に対する回答をアシストすることができる。国防画像管理運用センターは機密、未公開、未審査の画像を受け付けることができ、統合ネットワーク運用管理センターは画像送信者に最適な送信手段をアドバイスする。

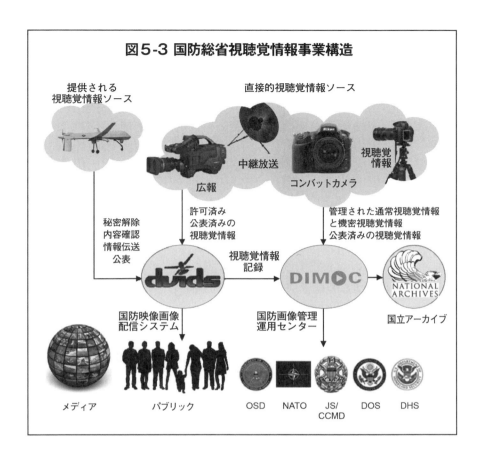

図5-3 国防総省視聴覚情報事業構造

提供される
視聴覚情報ソース

直接的視聴覚情報ソース

中継放送

広報

コンバットカメラ

視聴覚
情報

秘密解除
内容確認
情報伝送
公表

許可済み
公表済みの
視聴覚情報

管理された通常視聴覚情報
と機密視聴覚情報
公表済みの視聴覚情報

視聴覚情報
記録

dvids

DIM○C

NATIONAL
ARCHIVES

国防映像画像
配信システム

国防画像管理
運用センター

国立アーカイブ

メディア　　パブリック　　OSD　NATO　JS/　DOS　DHS
　　　　　　　　　　　　　　　　　　　　CCMD

（2）広報計画担当者は、部隊に指示されたすべての視聴覚情報能力
要求について、送信能力要件を明確に示すべきである。一般に統合作
戦で作成されたすべての承認済みおよび解除済みの視聴覚情報プロダ
クトは、集中管理および配布のために国防映像画像配信システムを通
して国防画像管理運用センターに送信される必要がある。広報計画者
は国防映像画像配信システムと連絡をとり、ライブ映像を伝送する要
件と担当責任地域から中枢拠点に、国民社会に公表するためのコミュ
ニケーションプロダクトを定期的に送信するために衛星使用時間を手
配することができる。

h. 情報配信

　統合軍司令官と広報官は、統合軍の広報プロダクトのメディア関係者へのターゲット・マーケティングを含めた作戦独自の要件に加え、統合作戦中に作成された視聴覚情報を適時適切に配布するために、国防総省から示されている要件を明確にし、最新の画像にして可能な限り幅広い要件をフォローする必要がある。国防総省と米政府の各部門の職員は、それぞれの任務要求をサポートするために、一元的に管理された利用可能な視聴覚情報プロダクトが必要である。画像を使用するすべての組織やさまざまなレベルに対して個別に視聴覚情報の制作・配信能力を整備することは実務的にもコスト的にも困難であるため、国防総省では図5-3に示すように、最も多くの画像要件を満たすために、伝送とコンテンツ管理活動に関する視聴覚情報事業構造を採用している。

　画像の伝送は国防映像画像配信システム、または他の適切な伝送手段によって視聴覚情報オペレーターと国防画像管理運用センターの間で行なわれる。国防画像管理運用センターは保管、検索、配信を含む画像のコンテンツ管理を監督する。国防画像管理運用センターは国防総省の公式視聴覚情報記録センターであり、すべての国防総省の部署に代わって国立公文書館に視聴覚情報記録を提供する。

i. 視聴覚情報テンプレート

　図5-4に類似したテンプレートの使用は、視聴覚情報の作成を補助する。テンプレートは、具体的な要求事項、リリース権限、送信手段、戦力および評価を提供する。連絡先も含めることができ、可能な改善のためのフィードバック手段として使用することができる。

j. 視聴覚情報計画と担当分野別の専門官支援

　国防画像管理運用センターは、重要な情報資源としての視聴覚情報の有効性を最大限に高める。国防画像管理運用センターは、軍事作戦中に作成された視聴覚情報の取得、作成、伝送、複製、配布、保管、保存のために戦闘部隊司令部、統合参謀本部および軍と直接調整する。国防総

図 5-4 視聴覚情報計画のテンプレートの例

要求画像

- 連邦政府、州政府、部族、地方自治体、民間企業、非政府組織などのパートナーとして実施される活動を視覚的に伝える。
- イメージの対象
- パートナー活動を積極的に支援状況
- ほかの省庁に対する国防総省の支援
- 沿岸警備隊の活動、州兵と文民当局の連携

公表権限

- 画像の公開がタイムリーで、可能な限り情報源に近く、かつ広報と視聴覚情報担当者を通じて調整されていることを確認

画像伝送

- 視聴覚情報をタイムリーに送信することは重要。未編集映像と静止画を国防画像管理運用センターに送信
  DIMOC: www.defenseimagery.mil
  DVIDS: www.dvidshub.net
- ライブアップリンクの調整
  DVIDS ハブ: www.dvidshub.net
- 視聴覚情報ガイダンス
  http://www.defenseimagery.mil.learning/vipolicy.html

戦　力

使用可能資源

- コンバットカメラ担当者と連絡先
- 関係組織の担当者
- エリアにおけるほかの視聴覚情報資源（担当者）
- 部隊司令部

アセスメント

- 任務、作戦および潜在的情報価値から得られた視聴覚情報プロダクトの公表を承認し、国防画像管理オペレーションセンターに送信
- ブリーフィング、出版物、ウェブ上での画像の使用状況を追跡内部利用のための国防総省画像へのアクセス権の他省庁への付与

担当者連絡先

コンバットカメラ広報
コンバットカメラ視聴覚情報計画担当
統合コンバットカメラプログラム調整

> NIPRNET: stills@defenseimagery.mil
> DSN: 227-0216 or COMM: 703-697-0216
>
> DSN: 733-6516 or COMM: 301-222-6516

Defense Imagery Management Operations Center (DIMOC)

> NIPRNET: stills@defenseimagery.mil
> DSN: 733-4938

COMM: 301-833-4932 or 703-675-9521

PA Phone (XXXX)

> J-5 POLAD/IC Contacts: International (Info-sharing and offers of assistance), interagency and private sector/NGOs

---

省の要件を満たす画像を適時かつ正確な取得と配布を促進するため、国防画像管理運用センターは視聴覚情報の作成が指示された派遣部隊における計画やそのフォローも実施している。

　また国防画像管理運用センターは広報やその他のプランナーに対して、さまざまな視聴覚情報取得能力を活用するための担当分野別の専門官による支援を実施する。国防画像管理運用センターはメリーランド州フォート・ミードにある保全措置がされている施設で活動し、広報および軍部と秘密レベルまで積極的に連携している。統合計画・実行コミュ

ニティへの支援には、以下のような活動が含まれる。

（1）視聴覚情報関連の要件を統合作戦計画と戦略ガイダンスへの記述

（2）適応的計画と実行システム内の戦略的画像要件を調整

（3）統合軍司令官のリソースと視聴覚情報作成部隊を選考し調整

（4）視聴覚情報送信に関するサポート

（5）視聴覚情報識別番号の割当

（6）視聴覚情報を取得または受信し、歴史的記録としての視聴覚情報の維持

（7）視聴覚情報を認可された防衛および公共活動へ配布

（8）部隊への要求、テンプレート、調整依頼を含む追加支援を提供するため、統合コンバットカメラ・プログラムマネージャーとの調整

k. その他の視聴覚情報計画に関する考慮事項

上記の例のようなテンプレートと情報は、断片的な命令、広報ガイダンス、または作戦計画の附属書で使用することができる。コンバットカメラやその他の視聴覚情報作成部隊は、統合部隊の要求に基づき、複数の作戦ラインに対して画像を提供することに留意すること。これらの計画上の留意事項には、予想される用途、分類および画像を入手するために必要な特定の技能が含まれる。いくつかの例を挙げる。

（1）広　報

　メディアへの公開、内部情報、ウェブサイトへの掲載、ブリーフィングでの使用、出版物への掲載などのために取得する画像

（2）行政当局への防衛支援

　災害救援を調整するために状況を記録し、人道支援活動における政府の行動を視覚的に伝えるために取得する画像

（3）民生分野

　災害地での水中撮影など、特殊な要求を含む場合がある（海軍の水中カメラマンは、被害状況や修理の進捗状況を記録するための画像を提供することができる）。

（4）その他の政府機関

学校の開設や重要なサービスの修復など地方自治体のプロジェクト、検問を行なう地元の治安部隊、多国籍軍と地元の治安部隊がともに活動すること。

（5）その他の考慮事項

次のような質問によって優先順位をつけ実行する。

- どのような能力が最も重要か？
- どのような映像が最も重要か？
- どのようにチームを適切な場所に適切な時間に移動させるか？
- そのイベントは一刻を争うものであり、事前の計画や到着が必要なのか？

I. 作戦保全

視聴覚情報プロダクトは、作戦保全において特別な問題を生起させることがある。すなわち作戦保全を維持（作戦内容の機密維持）することと、画像を適時に公開することのバランスをとることの最適値を必要とする。

たとえば軍事施設、戦術、技術、手順などの写真やビデオは、敵対勢力に実用的な情報を提供する可能性がある。作戦保全は友軍に関する重要な情報を敵対勢力に与えないようにするものである。しかし作戦保全の問題によって、軍事作戦中の視聴覚情報の取得が妨げられることがあってはならない。視覚的記録は軍事行動に関する証拠を保存する。画像をいつ公開するかは、作戦保全を改善するための重要な判断材料になる。潜在的な機密情報の送信遅延を認める基本ルールは、短期的な安全保障上の懸念と画像公開の必要性とのバランスをとるものである。統合軍の広報および視聴覚情報計画は、情報の原則に従ったタイムリーなセキュリティ審査と公開を含む、視聴覚情報コンテンツの取得と管理を可能にするものでなければならない。広報計画は、画像公開についての適時審査を考慮し、機密性の高い作戦や活動に関連する、一般に分類されない情報を特定、管理、保護するよう策定しなければならない。

4. アセスメント（評価）

a. 視聴覚情報を改善するために、広報計画担当者は希望する指標と評価結果を国防画像管理運用センターに提供するべきである。少なくとも評価には事後報告を含む各イベントからのフィードバックと、画像が要求者の要求を満たしていたかどうかに関する教訓を含めるべきである。

b. 広報官は統合コンバットカメラセンターに対し、作戦や演習中に作成された視聴覚情報を追跡し、視聴覚情報プロダクトおよび計画で特定された要件を比較検討できるフィードバックを提供するよう要請することができる。

5. 民間当局への防衛支援に関する検討事項

民間当局への防衛支援活動に関する広報に求められる検討事項は、派遣された部隊活動とは異なる場合があり、以下の分野に留意する必要がある。

a. 民間当局への防衛支援活動における広報は、主導する連邦機関が特定のテーマとメッセージの設定、公表権限の確立、視聴覚情報活動の指示、国民への情報提供に責任を負うため複雑になる場合がある。状況によっては、事態指揮官（地元の法執行機関または消防署長）が作戦の統制を維持することもある。たとえばハリケーン「サンディ」の救援活動では、コンバットカメラの現場指揮官への支援は、災害救援活動における国防総省の取り組みの記録よりも優先された。

b. 米国連邦法第32編の状態、またはスタッフォード法に基づく連邦緊急事態宣言がない場合に活動する州兵部隊は異なる広報権限を持ってい

る。たとえば大規模な竜巻救援活動中のオクラホマ州兵の視聴覚情報資料は、救援活動が米軍北部司令部ではなく州知事によって指示された場合、自動的に国防総省の資料写真と見なされることはない。しかしながら、国内活動中に州兵が作成した視聴覚情報は、進行中の国防総省のミッション活動を支援し、統合コンバットカメラセンターは州兵と非公式に調整し、関連する視聴覚情報を受領する。

c. 米国本土を拠点とする部隊の視聴覚情報要員が、米国北部軍司令官による事前の許可がないまま、国内の活動地域に到着したことがある。米国本土での国防総省の活動は、通常、責任地域内で活動を行なうための活動許可命令を必要とする。無許可の軍人の存在は、活動の指揮統制を阻害し、部隊に混乱を招くことから国防総省の方針と指針にそぐわないものである。

6. 取得、機密解除／無害化および派生画像の転送

a. 統合情報部、統合作戦運用部、海外情報公開担当官および広報は、情報画像、兵器システムビデオ、その他の形態の派生画像の取得、機密解除、無害化、メディアと一般市民への提供に取り組むべきである。広報の主な目的は、視聴覚情報を含む正確で真実、かつタイムリーな情報をメディア、国民社会および軍に配信することである。

b. 取 得
　統合情報部、統合作戦運用部は、情報画像および兵器システムビデオ画像を取得し、作戦および情報活動のために利用する。一般に情報画像、兵器システムビデオ画像およびその他の形式の機密画像は、軍事作戦において指揮、統制、安全保障、情報任務を支援するために収集される。これらの画像情報ソースは、敵の誤報やプロパガンダを排除するための強力なビジュアル・コンテンツを提供することができる。

統合作戦中に生成される大量の処理済み情報と兵器システムビデオ画像によって、何百時間もの機密ミッション・ビデオを作成することができる。広報、統合情報部、統合作戦運用部は、ビデオ映像の特定部分をすばやく見つけ、取り出し、編集し、無害化し、転送し、公開する手順を確立する必要がある。

c. 機密解除／無害化

情報画像、兵器システムビデオ画像およびその他の機密派生視聴覚情報ソースからの機密コンテンツの除去は、主として統合情報部の責任である。統合情報部と統合作戦運用部は、情報画像、兵器システムビデオ画像および機密視聴覚情報から、テレメトリやその他の制限データをマスキングまたは除去できる機密画像編集システムを構築するべきである。

公開の可能性がある画像が特定された場合、迅速に機密情報を取り除き、あるいはマスキングをして、変化の激しい情報環境にタイムリーに公表できるようにしなければならない。また敵の偽情報に対抗するには、正確かつタイムリーで、説得力のある画像が必要である。広報、統合情報部、統合作戦運用部は、機密視聴覚情報だけでなく、派生視聴覚情報プロダクトの現場での無害化と公開の権限委譲を促進することで、時間的制約のある情報要件に対応する必要がある。

d. 転　送

機密ネットワークから非機密ネットワークへの無害化された画像の転送は、統合情報部の責任である。統合情報部は管理された非機密情報を取り扱える非機密システムを通じて、無害化された画像へ広報がアクセスできるようにしている。すべての無害化された画像情報、兵器システムビデオ画像、その他の画像は、広報が内容を確認し公開できるようになるまでは、管理された非機密情報として扱われる。機密情報が削除され、公開のための審査が行なわれた後、これらのコンテンツは視聴覚情報プロダクトとみなされ、公的記録であることを示す視聴覚情報記録識

別番号が付与される。無害化されたすべての派生画像は、メディアまたは一般に公開される前に、セキュリティと公開審査に関する基準を満たす必要がある。

付録A
司令官コミュニケーション・シンクロナイゼーションにおける広報の役割

1. 概 要

a. 統合軍司令官は、司令官コミュニケーションプロセスを使用して、コミュニケーション（テーマ、メッセージ、画像など）と行動（計画、展開、作戦など）を調整し、同期化させ、統合軍のコミュニケーションの完全性と一貫性を守り、より広範な国家戦略ナラティブと一致させることができる。

b. 司令官コミュニケーション・シンクロナイズのプロセスは、JDN2-13「司令官コミュニケーション・シンクロナイゼーション」に詳述されている。ここでは、コミュニケーションの手段や方法に一貫性を持たせ、味方にとって有利な情報環境を形成するための手法を提供している。

c. 付録Aは、JDN2-13「司令官のコミュニケーション・シンクロナイゼーション」に代わるものではなく、また同レベルの詳細な情報を提供するものでもない。付録Aの意図は、司令官コミュニケーション・シンクロナイゼーション・プロセスにおける広報の役割をさらに説明することである。

2. 情報伝達における調整の必要性

a. 統合軍司令官は、メディアの配信チャンネルの進歩による継続的で急速な情報の流れを管理するために能動的、応答的、適応的、そして機敏な対応方法と能力を使用することができる。

144

b. 米政府には、国家安全保障と個人情報保護の配慮をしながら、その活動の性質について米国民に知らせる義務がある。統合軍司令官は、統合軍の活動、意図、望ましい最終状態について、米国および国際的なオーディエンス（視聴者）、パブリック（一般市民）およびステークホルダー（利害関係者）とコミュニケーションを図る必要がある。

c. 絶え間ないメディアの報道と個人用通信機器の普及により、軍事作戦の透明性はますます高まっている。米軍は常に監視の目にさらされている。メディアの関心は、一見何の変哲もない戦術的な事件を戦略的に重要な事件へと変えることがある。プロパガンダは、危機に対する国民の認識に影響を与え、米軍を受動的な態勢に追い込むことができる。司令官は、作戦の他の側面を計画し、実施する際に、ナラティブを形成する必要がある。公式情報を適時に、場合によっては軍事行動に先立って発表することで、作戦行動にコンテクストを持たせ、敵のプロパガンダに対抗し、戦線全体の成功に貢献するとともに支持を得ることができる。

d. 作戦と一致したコミュニケーション・シンクロナイゼーションの一貫したアプローチを発展させることは、必要な信頼と支持を構築し、軍隊に関する情報に基づいた認識の形成を促進し、敵対的な宣伝活動を弱め、国家、地域、戦域、作戦目的の達成に寄与する。

e. CJCSM（統合参謀本部議長マニュアル）3130.03「APEX（Adaptive Planning and Execution）計画フォーマットとガイダンス」は、統合軍司令官に対し、主要活動間のテーマと目的の統一を図るため、司令官の意図にコミュニケーションのゴールおよびその目標を含めるように指示を出している。

f. 司令官コミュニケーション・シンクロナイゼーションのプロセスには、3つのアプローチがある。
　　（1）統合軍司令官が主導する。

（2）司令官コミュニケーション・シンクロナイゼーション部門の主
導で、小規模の調整スタッフと司令官コミュニケーション・シンクロ
ナイゼーション・ワーキンググループをサポートする。
（3）司令官コミュニケーション・シンクロナイゼーション・ワーキ
ンググループと、コミュニケーション部門または参謀本部が議長を務
める委員会

g. 統合軍司令官がどのアプローチを選択するかにかかわらず、広報官は
司令官コミュニケーション・シンクロナイゼーション・プロセスからの
メッセージと調整する必要がある。

3. 広報の計画立案と司令官のコミュニケーション・シンクロナイゼーション・プロセス

a. 司令官コミュニケーション・シンクロナイゼーション・プロセスは、
統合軍司令官のガイダンスに沿ったコミュニケーションの統合を図るも
のである。このプロセスは、テーマ、メッセージ、画像、作戦、行動な
どを調整し、より高度なコミュニケーション・ガイダンスを実現する。
特に、司令官コミュニケーション・シンクロナイゼーションは、作戦計
画担当者に海外のオーディエンスが共同作戦をどのように認識している
かについての見通しを与え、統合軍司令官が目標を達成するための言葉
やイメージと作戦とをシンクロナイズさせるためのよりよい理解に導く
ものである。しかし、このプロセスは、広報やその他の情報関連部門が
通常の職務の過程で司令官に直接アクセスすることに取って代わるもの
ではない。

b. コマンド・コミュニケーションのシンクロナイズは、統合軍司令官が
インフラの不備、言語や文化の違い、断片的なメディア環境を克服する
のに有効である。加えて、司令官コミュニケーション・シンクロナイゼ
ーションは分散化され、瞬時に世界中に広がる敵の対抗メッセージやプ

ロパガンダによって生じるコミュニケーションの課題に統合軍司令官が対処するのを支援することができる。高度な計画と調整によって支えられた迅速な意思決定が、これらの課題を軽減することができる。

c. 広報官は、統合軍司令官の個人スタッフの一員として、広報の主要な調整役となる。広報官は、司令官の意図と作戦コンセプトを達成するために、米軍の広報活動や資源を計画、調整、シンクロナイズさせる。広報官は、司令部の決定、行動、作戦が外国人の認識に及ぼす影響について、統合軍司令官に助言を与える。また広報は他の情報関連部門と連携し、個別に、あるいは司令官のコミュニケーション・シンクロナイゼーション・プロセスを通じて、あるいは情報作戦作業部会や司令官コミュニケーション・シンクロナイゼーション作業部会のような他の手段で、作戦任務計画にコミュニケーションを統合している。

d. 広報は、司令官コミュニケーション・シンクロナイゼーション・プロセスにおいて、情報作戦運用や他の情報関連部門と共同で作業を行なうが、彼らのために作業を行なうことはない。司令官コミュニケーション・シンクロナイゼーション・プロセスに参加するさまざまな組織は、異なる任務、範囲、能力、様式および権限を持っている。広報は、国家、戦域、司令部および戦略レベルでのコミュニケーションに焦点を当てた指揮機能で、関連するオーディエンスに情報を提供し、その内容の理解を深めてもらうものである。そのため広報と情報作戦運用は互いに内容の矛盾を解消し、シンクロさせる必要があり、司令官コミュニケーション・シンクロナイゼーション・プロセスは、この情報関連部門の調整と矛盾解消を達成するための手段である。

e. 広報の有効性は、広報官の司令官との直接的な関係、事実情報をあらゆるオーディエンスに届ける権限、そして透明性の方針から生まれる信頼性によって実現される。その有効性を維持するため、広報は司令部機能を維持し、司令官への助言と報告を行なう。

付録B
付属書Fの作成参考要領

　この付録のガイダンスは、CJCSM 3130.03「適応型計画および実施計画書式とガイダンス」にあるOPLAN（作戦計画）書式の付属書F（広報）の作成に関する追加的な細部事項と検討事項を提供するものである。

1. 状 況

a. 全 般
軍事的な広報活動の責任とガイダンスを指定する。

b. 敵対勢力
敵対勢力および米国の利益に敵対する勢力の予想される行動を明確にする。

c. 友軍・友好国機関
統合軍指揮官のコントロール下にない広報の取り組みに貢献する友好的な機関を特定する。国防次官補（広報）、国務省、大使および多国籍パートナーの広報プログラムも適切に含める。

d. 想定事項
　（1）広報プログラムの開発と実施において考慮すべき、ホスト国の嗜好や感性について記述すること。
　（2）戦闘部隊指揮官は、作戦のあらゆる局面において、国防総省ナショナル・メディアプールを受け入れる準備を整えておくべきである。

2. 任 務

　作戦全体と司令官の意図に基づき、達成すべき重要な広報の任務を明確かつ簡潔に記述する。

3. 任務の実施

a. 作戦構想・コンセプト
　統合軍司令官のミッションと作戦コンセプトの一部として、作戦における広報の取り組みを概説する。

b. 作戦任務
　さまざまな作戦フェーズにおいて完了すべき広報の任務を概説する。

　（1）死傷者や遺体安置所、米軍や多国籍軍の捕虜や行方不明者、敵の捕虜に関する解放権限やガイダンスを含む追加情報を広報の支援をする戦闘部隊指揮官やその他の支援司令部に提供する。メディア・オペレーションセンターの設置を検討する。広報の視聴覚情報とコンバットカメラの要件を概説する。

　（2）広報要員および使用装備機器に関する支援要件の詳細を編成部隊に提供する。現場指揮官、戦闘部隊指揮官、国務省代表およびメディア・オペレーションセンターを結ぶ安全な音声回線へのアクセス、同じ拠点でのハードコピー用メッセージ施設へのアクセス、警護を付けたメディアの戦闘地域間および戦闘地域内輸送、メディア・オペレーションセンターと他の広報情報発信元を結ぶ保護および非保護のインターネットアクセス、デジタル画像受信装置へのアクセス（イントラネットソースを通じて可能）、戦闘被害評価タイプのビデオ映像を確認・公開する装置へのアクセス（コンバットカメラを通じて可能）などについて対処すること。この付属文書において、後方支援、通

信、司令官コミュニケーション・シンクロナイゼーションおよびその他の計画担当者、計画プロセスに必要なサポートが細部にわたって確実であるよう調整する。

（3）所属部隊、部隊司令部および他の支援部隊の支援要請をリストアップする。

c. 指示事項の調整

以下の分野の手順を明確にする。

（1）情報公開の調整

すべての支援司令部に対して、問い合わせ、その回答、ニュースリリース案を処理し、または支援司令部に転送し、許可を得るための細部手順を提供する。

（2）司令官コミュニケーション・シンクロナイゼーションに対する広報の支援

必要に応じて、広報チームを他の情報関連部門と調整する。

（3）DODI 5405.3「広報ガイダンス案の作成」に従い、特に適切な広報姿勢（図B-1参照）に注意しながら、適切な広報ガイダンスの作成と調整のための要件を確定すること。

（4）帰還した米軍兵士については、その個人の部隊や部隊の広報部署、敵国捕虜や抑留兵士ついては、支援する軍法務官とインタビューや記者会見の要請を調整する。

（5）指揮系統外の情報公開に関与する他のスタッフ部門と必要な調整内容について概説する。

（6）戦闘員が戦場で撮影した画像を含む、画像公開のガイドラインを提示する。

（7）ソーシャルメディアの使用に関するガイドラインを定め、その中に情報プロダクトに関する公表権限を含める。

（8）広報の実施記録を保存するための手順を構築する。

付録C
情報公開ガイドライン

1. 情報の公開について

a. 情報公開の権限と声明

（1）情報公開の権限が委譲されるまで、部隊は問い合わせやニュースリリース案を戦闘部隊司令部の広報官に転送しなければならない。

（2）隷属部隊は、戦闘部隊司令部の広報官との事前の調整なしに、作戦に関する公式声明を発表してはならない。

b. 前提条件

（1）すべての声明は記録される。

（2）ニュースメディアは作戦地域から瞬時にライブレポートを送信することができるようになる。広報が報道機関に対する広報計画や報道対応ができないからといって、報道が停止することはない。

（3）報道機関の取材は極めて熾烈であり、作戦地域へアクセスし、起こった出来事をそのまま報道する傾向がある。

（4）すでに現場にいる報道関係者は、作戦地域に行く方法を見つけ、安全上の懸念に関係なく、その活動をそのまま報道することがある。

（5）独立系メディアは部隊司令部の招待により、国防総省ナショナル・メディア・プールとは異なる戦闘部隊司令部の広報官が定めたガイドラインの下で、国防総省ナショナル・メディア・プールと同時に派遣されることがある。

c. 秘密保全に関する指示

（1）準備された情報プロダクトを一般公開するために提示する、またはそのようなスタッフになる広報官は、そこに含まれる情報が完全に調整され、公開が承認されるまで適切に秘密区分され管理されていることを確認しなければならない。

（2）メディアは通常、作戦を危険にさらす、あるいは人命を危険にさらす可能性のある機密情報へのアクセス権を与えられていない。ただし、この情報公表が妥当と考えられる状況において、報道官は統合軍司令官から具体的な承認を得なければならない。

（3）報道関係者の中には、軍当局から許可されるまで公表を控えることに同意すれば、計画された発動前の作戦について事前にブリーフィングを受けることができる場合がある。機密資料のセキュリティは、すべての国防総省職員と国防総省契約職員の責任である。

d. 統合軍司令官レベル以下での公開

（1）情報公表の権限が委譲された場合、統合軍広報官またはメディア・オペレーションセンター長が定めた方針と指針の範囲内で、部隊長および下級指揮官は情報、視聴覚情報を公開することができる。

（2）情報公表および記者会見の逐語記録を保持すること。

（3）下級指揮官は、インタビューの内容や質問に対する回答をメディア・オペレーションセンターに報告すること。

（4）記者会見は、ビデオ撮影または録音されるべきである。

e. DODD 5400.07「国防総省情報公開法（FOIA）プログラム」

情報公開法プログラムによる情報の要求は、司令部の指定された情報公開法担当者、または担当者がいない場合は司令部の法務官、または法務顧問を通じて調整されるべきである。

f. アメリカ合衆国連邦法典第5編第552a条「1974年のプライバシー法」

　国防総省職員は、国防総省5400.11-R、国防総省プライバシープログラム、またはその他の適用される法律や規則によって許可される場合を除き、記録システムに含まれるいかなる個人情報も開示してはならない。ただし規則により承認された場合を除く。

　また開示が禁止されていることを知りながら故意にそのような開示を行なった職員は、刑事罰および／または行政処分の対象となる可能性がある。

2. メディアとのディスカッション

a. 事前の準備

　事前の準備により、メディアとのディスカッションをより効果的に行なうことができる。そのプロセスの中心は、一般的な広報ガイダンスと作戦保全の対策に基づき、どのような情報を公開すべきかを見極めることである。司令官、ブリーファーおよび広報担当者は、あらゆる作戦の基本的事実を認識し、それを一般市民に伝えることで生じるさまざまな影響に敏感にならなければならない。

b. セキュリティ

　「情報源の安全確保」は、作戦保全や統合軍の安全とプライバシーを脅かすような情報が公開されないようにするための基礎となるものである。この概念の下、記者と面会する個人は、機密情報または極秘情報が明らかにならないようにする責任がある。この指針はカメラマンにも適用され、カメラマンは機密区域や設備を撮影しないよう、またいかなる方法によっても機密情報を危険にさらさないよう監督されなければならない。

c. ブリーフィング情報

　それぞれの作戦状況において、公表すべき特別な情報を特定するため

に、広報による慎重な評価が必要である。以下のカテゴリーの情報は、ほとんどの状況において公開可能である。しかしながら作戦上の考慮事項により変更を必要とする場合がある。

（1）米軍部隊が作戦地域に到着後、国防総省または他の司令部が国防次官補（広報担当）によって付与された公表権限に従って公式に発表すること。情報には、移動手段（海路または空路）、出発日、本拠地または港が含まれている可能性がある。

（2）友軍のおおよその兵力と装備に関する数量

（3）各軍種のおおよその犠牲者数と捕虜数。各行動または作戦中に拘束した敵対勢力の人員のおおよその数値

（4）過去および現在の米国の空、陸、海、宇宙および特殊作戦に関する非機密情報と視聴覚情報

（5）一般論として、過去に攻撃した軍事目標、目的の特定と位置および使用された兵器の種類

（6）実施された過去の軍事的任務および行動の日時または場所、ならびに任務の結果

（7）作戦地域内で飛行した戦闘空中哨戒または偵察任務および／または出撃数。「陸上基地所属機」または「空母艦載機」など、航空作戦の起源に関する一般的な記述

（8）天候および気候条件

（9）必要であれば、同盟国の作戦参加形態（地上部隊、艦船、航空機）

（10）秘密区分のない通常作戦のコードネーム

（11）配備場所と配属部隊名

（12）"複数大隊"、"海軍機動部隊"などの一般的な用語を使用した行動または作戦に参加する友軍の規模

（13）参加した部隊の種類（例：航空機、艦船、空母打撃群、戦車、歩兵部隊）

d. 機密情報

装備品、手順および操作の機密事項は、メディアへの開示から保護されなければならない。より一般的に言えば、次のカテゴリーに属する情報は、将来の作戦への潜在的な危険、人命へのリスク、米国および／または同盟国の機密事項の侵害の可能性、あるいは情報活動の方法と情報源の開示の可能性などの理由によって公開すべきではない。

これらのガイドラインは、メディアと接触する軍人を指導する役割を果たすが、メディアによる取材の基本ルールとして使用することもできる。ただしこのリストは必ずしも完全なものではなく、各運用状況に応じて整合させる必要がある。

（1）米国（または同盟国）部隊については、戦闘部隊の支援に利用できる部隊強度、航空機、兵器システム、個人装備品、または物資に関する具体的な数値の情報。部隊、装備、物資の説明には、一般的な用語を使用すべきである。

（2）延期または中止された作戦を含む、将来の計画、作戦、攻撃に関する詳細を明らかにするあらゆる情報。

（3）部隊の具体的な所在地を明らかにしたり、軍事施設や野営地の警備レベルを示すような情報および視聴覚情報。日付については、特定の国が認めていない限り、一般的な地域から発信されたレポートであることを明記する。

（4）交戦規定（ROE：Rules of Engagement）

（5）情報源と収集方法、目標リスト、戦闘被害評価を含む情報活動に関する情報。

（6）作戦中、友軍の部隊の動きや規模、戦術的展開、作戦保全や人命を危険にさらすような配置に関する具体的な情報。これには、統合軍司令官が発表するまでの部隊名や作戦名が含まれる。

（7）陸上または空母以外の作戦参加航空機の発着地点の特定

（8）兵器システムおよび戦術の有効性、または無効性に関する情報（敵のカモフラージュ、掩蔽、欺瞞、標的、直接および間接射撃、情報収集、または安全対策を包含するが、これに限定されるものではない）。

（9）捜索救助活動が計画または実施されている間、行方不明または墜落した要員、航空機、沈没した船舶の具体的な識別情報。

（10）特殊作戦部隊の戦術、技術、手順、装備について公開された場合、これらの部隊の任務達成能力に重大な損害を与える可能性のあるもの。

（11）敵対勢力に戦術的優位を与えず、したがって統合軍司令官 が公表するまで、米国または同盟国の部隊に対して利用される可能性のある作戦上または支援上の脆弱性に関する情報。被害と死傷者は、次のように表現される。「軽（light）」「中（moderate）」「重（heavy）」のいずれかである。

（12）具体的な作戦方法と戦術（例：攻撃と防御の戦術または速度とフォーメーション）。「遅い」「速い」などの一般的な用語を用いることができる。

（13）被拘束者は、常に社会の好奇心から保護される。この要求の厳格な遵守は極めて重要である。この義務に関して、国際メディアと国内メディアの区別はない。被拘束者に関するメディアの注目度は、非常に高いものになる可能性が高い。司令官や幕僚は、このような注目を浴びることを予期し、担当する広報要員がメディアからの面会や情報提供の要請に対応するための手続きを事前に策定しておく必要がある。下位の司令官に委任されない限り、国防長官室が被拘禁者の写真やビデオの唯一の公表機関である。司令官は被拘束者の移動、移送、解放などの際に、移送元および移送先の司令官と事前に広報計画を作成し、調整する。

　（a）被拘禁者のインタビューや撮影の要請は、戦争法を含む適用法令の遵守を確保するため、法務官を通じて調整されなければならない。

　（b）拘留施設の内部管理および情報収集の目的以外のために被拘束者を写真撮影し、またはその他のビデオ撮影をすることは禁止されている。

　（c）米国政府の拘束下または物理的管理の下にある個人は、国籍または物理的位置にかかわらず、残虐、非人道的または品位を傷つける取り扱いまたは刑罰に服させてはならない。

付録D
国防メディア事業局

1. 国防メディア事業局（DMA：Defense Media Activity）

　国防メディア事業局は、世界中の国防総省のオーディエンスに情報を提供し、教育し、そして娯楽とするために、高品質のマルチメディア・プロダクトとサービスを広範に提供している。統合軍の広報スタッフは、国防メディア事業局（www.dma.mil）に支援を要請することができる。

2. 米軍ラジオ・テレビサービス
（AFRTS：American Forces Radio and Television Service)

a. 国防メディア事業局が運営する米軍ラジオ・テレビサービスは、海外や海上の米軍司令官に国防総省、陸軍・海軍・空軍・海兵隊・宇宙軍などの各軍種、戦域、地域司令部の情報を指揮下の職員に伝達する手段を提供する世界規模のラジオ・テレビ放送システムである。加えて、司令部の部内情報プログラムをサポートするだけでなく、米軍ラジオ・テレビサービスは米国内のラジオやテレビのニュース、情報、スポーツ、エンターテインメントと同じ種別かつ同じクオリティの放送を提供する。DODM 5120.20「米軍ラジオ・テレビサービス（AFRTS）の管理」は、米軍ラジオ・テレビサービスを利用するための基本的な手続きの概要を示している。追加のガイダンスと計画支援については、国防メディア事業局に問い合わせること。

b. 国防メディア事業局は、戦闘部隊司令部の広報担当官がそれぞれの要件に合致した米軍ラジオ・テレビサービスのシステムを計画・構築するのを支援することができる。戦闘部隊司令部の広報担当官は、統合部隊

における広報の戦力部隊としての米軍ラジオ・テレビサービスをあらゆる活動について計画する責任がある。国防メディア事業局はまた、広報計画担当者が演習を計画する際に米軍ラジオ・テレビサービスを含めるよう推奨している。作戦に必要な米軍ラジオ・テレビサービスの支援レベルに基づき、通信周波数や電力、物流要件を調整するために、他のスタッフ部門との広範な調整が必要となる場合がある。

c. いくつかの米軍ラジオ・テレビサービスのオプションは、緊急事態における対応活動支援に利用可能である。すべての米軍ラジオ・テレビサービスの緊急事態活動に対して、国防メディア事業局の放送局は計画、管理、運用指導および支援を実施する。国防メディア事業局の技術サービスは、技術および後方支援を行なう。また緊急支援要件に関する通知を受けて、国防メディア事業局は派遣された広報計画担当者と緊密に連携し、支援される戦闘部隊の広報スタッフと協力して、米軍ラジオ・テレビサービスに対する支援要望要件を確認・計画し、調整された米軍ラジオ・テレビサービスの支援パッケージを実施するため、支援部隊から必要な援助を受けることができる。

3. 視聴覚情報

　国防メディア事業局の国防視聴覚情報担当部門は国防画像管理運用センターを管理し、世界各地に駐留・展開する国防総省視聴覚情報、コンバットカメラ、広報スタッフが作成した機密および非分類視聴覚情報プロダクトの受領、処理、保管、配布を実施する。国防画像管理運用センターは国防総省の視聴覚情報記録センターとして指定され、国立公文書館記録管理局への視聴覚情報を提供するための一元窓口となっている。広報スタッフは国防画像管理運用センターのウェブサイト（www.dimoc.mil）を通して画像を要求することができる。国防画像管理運用センターはまた、戦略的視聴覚情報の要件と計画を統合軍および戦闘部隊司令部と調整する統合コンバットカメラセンターを運営してい

る。これには計画担当者による視聴覚情報計画の支援も含まれる。

4. パブリック・ワールドワイド・ウェブサイトの運用

　国防メディア事業局のパブリック・ウェブ部門は、国防総省の関係者や利用者向けに一般向けのウェブページのインフラを提供する。また公共向けウェブサイトとそのコンテンツを作成、維持、保守、改善するために必要なサービスを提供する。追加のガイダンスと計画支援については、国防メディア事業部に問い合わせること。

5．統合ホームタウン・ニュースサービス
（Joint Hometown News Service）

　国防メディア事業局の統合ホームタウン・ニュースサービス（JHNS）事務局は、国防総省と各軍のためにホームタウン・ニュース・プログラムを提供する。広報スタッフはDOD Form 2266, Hometown News Release Informationを統合ホームタウン・ニュースサービスに提出する。これらのニュース・リリースは部隊派遣、昇進、表彰（軍人と民間人）、または軍人や公務員のキャリアで発生したその他のイベントなどをカバーしている。統合ホームタウン・ニュースサービスは、現役兵、予備役兵、士官学校、予備役訓練士官候補生および公務員を含む個々の軍人に関する年間30万件以上のニュース・リリースを1万社の商業メディアに送信している。詳細については、統合ホームタウン・ニュースサービス事務局（JHNS：http://jhns.dma.mil）に問い合わせる。

6. 最新のソーシャルメディアのトレーニング、教育、テスト

　国防メディア事業局は、ソーシャルメディアツールとプラットフォームの評価、研究、テスト、主要なオーディエンスと通信するためのデジタルプランの開発および国防総省内で使用することができる新しい手法

とテクノロジーの追加を通じて、広報コミュニティの先行的活動能力に貢献している。これは、広報活動で実践的に活用するための新規のソーシャルメディアツール、手法およびテクノロジーの国防総省担当部門への機能移転支援活動を含んでいる。さらに国防メディア事業局は、国防総省広報職員の既存のスキルをソーシャルメディアのテクノロジーを活用し、進化を続けるソーシャルメディア環境によりよく適合させる国防総省全体の教育訓練を実施している。

7. ブロガー・ファシリテーションサービス

　国防メディア事業局は、市民ジャーナリスト（ブロガー）と国防総省のリーダーおよび担当分野の専門官を結びつけることによって、国防総省全体の広報活動を促進している。これには、関連するブロガーが担当分野の専門官と電話会議をする機会を提供する独自のプログラムが含まれる。これらのイベントの音声と記録は、国防総省ライブを通じてオンラインで公開され、国防メディア事業局のソーシャルメディアネットワークと共有されカスタマイズされたデジタル・コミュニケーションを通じて公開されている。問い合わせ先は国防メディア事業局ソーシャルメディア・ブランチ（newmedia1@dma.mil）である。

8. 広報・視聴覚情報の教育訓練

　国防情報学校（DINFOS：Defense Information School）は国防メディア事業局の一部門であり、広報、ジャーナリズム、フォトジャーナリズム、放送機材の運用操作、放送機材の整備維持、スチール写真、ビデオ映像記録、イラスト、マルチメディア、視聴覚情報の制作教育とトレーニングを広報、視聴覚情報、および関連キャリア分野の初級、中級、上級レベルの国防総省、政府機関の職員を対象に実施している。詳細についての問い合わせ先は、国防情報学校（www.dinfos.dma.mil）である。

付録E
統合広報支援部隊（JPASE）

1. 概 要

a. 統合広報支援部隊（JPASE：Joint Public Affairs Support Element）は即応部隊で、急派可能な統合広報専門家によって構成されており、派遣先に到着後数分以内に指揮官のコミュニケーション・シンクロナイゼーション・プロセスの実施を計画・支援し、広報活動や物語をリードすることができる。

b. JPASEはバージニア州ノーフォークにあり、統合軍司令官およびその幕僚が、それぞれの作戦地域で絶えず進化する広報と情報の課題に適切に対応できるよう業務支援を実施する。

c. JPASEは訓練が完了し、必要装備機材を有し、業務拡張が可能で広報計画やメディア運用の実施能力を含む迅速に展開可能な広報能力を準備し提供できる。

　JPASEは国防総省唯一の統合広報部隊であり、統合任務部隊司令官のニーズを支援するために世界中に展開し、依頼元の戦闘部隊指揮官が必要とする能力をカスタマイズできるような拡張性のあるオプションを取り揃えている。

d. JPASEは、主要な演習、セミナーおよび企画イベントへの参加を通じて、統合軍司令官、幕僚に対して広報のトレーニングを実施する。

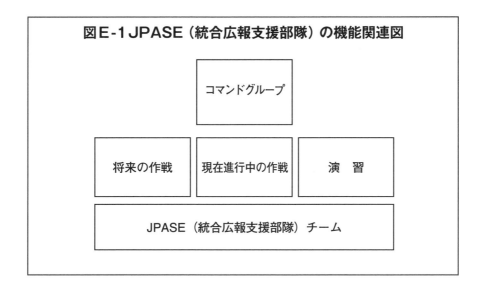

図E-1 JPASE（統合広報支援部隊）の機能関連図

コマンドグループ

将来の作戦

現在進行中の作戦

演　習

JPASE（統合広報支援部隊）チーム

2. 組　織

　JPASEは図E-1に示すような組織である。この組織はJPASE予備戦力を作戦に統合することを容易にし、指揮統制を強化する。

3. オペレーションサポート

a. イントロダクション

　JPASEは、戦闘部隊指揮官と統合軍司令官のための遠征的な統合広報能力として機能する。JPASEは、承認された部隊要請プロセス（たとえば部隊要求やグローバル対応部隊プロセス）を通じて、多種多様な作戦要求を支援するため、全部または一部を迅速に展開することができる。またJPASEは演習と同様に緊急事態や作戦を支援することができる。JPASEは初動対処型の短期的な対応態勢であり、業務基盤を確立し、その後の現地部隊または支援部隊が業務を継続実施するための情報環境の整備を支援するために整備されたものである。

図E-2 JPASEの能力

役　割	能　力	本質的機能	外部からの強化支援
アドバイザー	統合広報活動組織の要件とその運用について司令官に助言	○	
	提案された政策や作戦判断が社会的認知に与える影響について指揮官に助言	○	
	情報環境に関する指揮官への助言	○	○
	コミュニケーションの統合と整合化について指揮官に助言	○	
	統合広報に関する事項について上位および下位の部隊と調整	○	
プランニングとオペレーション	統合運用計画策定作業のワーキンググループまたはそのプロセスに参加	○	
	長期的または緊急の危機や不測事態に対するコミュニケーションと広報計画を提供	○	
	コミュニケーションと広報アセスメントの構築	○	
	機構・制度	○	
	コミュニケーションの基盤となるインフラストラクチャの要件と統合運用組織における配員に関する必要条件の明確化	○	
	統合広報戦略の策定	○	
	指揮官のコミュニケーション戦略の策定	○	
	統合広報作戦の指揮	○	
メディア・オペレーション	メディアサポート施設/メディア・オペレーション・センターの要件の確認および設立の調整	○	
	メディア支援計画の策定	○	
	メディア認定作業の実施	○	
	メディア・オペレーションの実施	○	
	広報ガイダンスの作成	○	
	メディア分析の準備	○	○
	プレス・ブリーフィングの実施	○	
	ライブ・アップリンク機能の構築	○	
	メディアの部隊従軍取材の促進	○	
	作戦地域内でのメディア移動（輸送）調整	○	○
	スタッフへのメディア・トレーニングの実施	○	
	一般にアクセス可能な Web サイトのコンテンツを調整	○	○
	ソーシャルメディアの仕組み構築と助言 およびエンゲージメント戦略	○	
	ソーシャルメディア評価の提供	○	○
指揮情報	非組織的な指揮情報資源の管理・調整	○	
	指揮系統内部の情報要件の特定	○	
	指揮系統内部情報計画の策定	○	
	放送機能のコーディネート	○	○
	指揮系統の内部情報プロダクトの作成	○	○
広報文化外交に対する防衛支援	米国大使館/領事館連絡官	○	
	他の米国政府の省庁および機関との調整	○	
	NGO との調整	○	
視聴覚情報	視聴覚情報計画の策定	○	
	視聴覚情報支援の提供	○	
	コンバットカメラによる視聴覚情報支援の調整	○	
	視聴覚情報プロダクトの配布	○	○
コミュニティ参画	コミュニティ参画要件の特定	○	○
	コミュニティ参画計画の構築	○	○
	現地司令部と地元関係者の交流促進	○	○

（1）JPASEの全部または一部を派遣することにより、必要なとき、必要な場所でミッションに即応した統合広報能力を統合軍司令官に提供することができる。JPASE は、作戦を直接支援するだけでなく、潜在的な不測の事態に対する統合広報計画を必要とする戦闘部隊指揮官の要請に応えることができる。またJPASEチームは、凝集性の高い統合運用のチームであるため、派遣部隊の展開に容易に適合することができるが、派遣要請をする部隊司令部による後方支援と生活支援を必要とする。

（2）JPASEの部隊は、統合広報のための国防総省の初動部隊といえる。他の職域の即応部隊と同様に、長期展開可能部隊が派遣されるまでの間、緊急事態に迅速に対応するように部隊・チームが編成されている。

b. 能 力

　図E-2は、JPASEが拡張可能な危機対応チームとして統合軍司令官に提供できる統合広報の技能と能力を示している。またJPASEが陸軍の移動式 の広報分遣隊および/または他の部隊の能力や追加部隊で増強された場合にも、それを管理できる能力を示している。支援に必要なJPASEチームの規模や装備は、要求された能力に応じたものとなる。必要な能力はJPASEの指揮官と協力して、適切な戦闘司令部の広報スタッフが実施した広報任務分析に基づくものである。JPASEに属さない能力は、右端の列に記載されている。

c. 部隊派遣の考慮事項

　（1）JPASEは、図E-3に示すように、米国輸送軍司令官の承認により派遣される。JPASEは緊急事態あるいは事前に準備計画された不測事態対処作戦のために、統合広報チームを提供する。後者の場合、JPASEの業務能力に対する要求は事前に確認され、支援する戦闘部隊

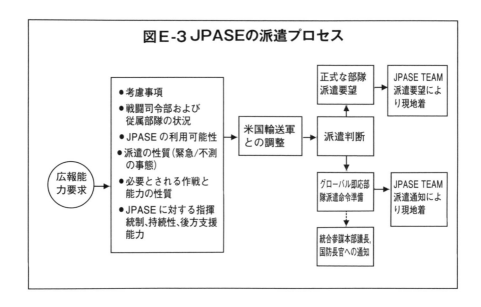

図E-3 JPASEの派遣プロセス

広報能力要求

● 考慮事項
● 戦闘司令部および従属部隊の状況
● JPASE の利用可能性
● 派遣の性質（緊急/不測の事態）
● 必要とされる作戦と能力の性質
● JPASE に対する指揮統制、持続性、後方支援能力

米国輸送軍との調整

派遣判断

正式な部隊派遣要望 → JPASE TEAM派遣要望により現地着

グローバル即応部隊派遣命令準備 → JPASE TEAM派遣通知により現地着

統合参謀本部議長、国防長官への通知

司令部とJPASEとの間で調整されている必要がある。

（２）JPASEの要員を最適な形で所要の派遣に活用するため、JPASEは、常駐要員が配置されていない統合部隊の広報配置を充足させたり、統合要員編成上の配置を充足するために広報要員の増員を提供せず、また通常の部隊交代のローテーションにも参加しない。JPASEは、戦闘部隊司令部または従属する広報の部隊が完全な任務遂行中で状況に対応できないか、必要な能力を発揮できない場合を除き要請すべきではない。図E-3は、派遣のための検討事項とともに派遣のプロセスを示している。

d. 規模と期間

派遣を支援するJPASE の能力は、利用可能な人員と他の作戦上の要件に基づいて変化する。JPASEは最大120日間のミッションに対応できる８人の要員からなるチームを維持している。派遣先の任務がJPASE の制限を超える場合、戦闘部隊司令部は必要条件を確認し、後続する統合広報部隊を実戦配備する責任を負う。

e. JPASEの要請

（1）各司令部は、米国輸送軍司令部の統合能力に関する指示に従い、承認された部隊要請プロセスによりJPASE を要請する。米国輸送軍司令官は、常設の実施命令を介してJPASE の派遣を承認する権限を有する。要請では人数ではなく、作戦の範囲と幅によって必要とされる特定の統合広報能力を明示しなければならない。

（2）過去の派遣実績から、JPASEが派遣時に利用可能な能力と、他の手段で調達する必要がある能力を、派遣要請司令部が確実に把握できるよう、早期に派遣要件の検討に参加させる必要性があることが判明している。要請司令部の広報官と JPASEの間の非公式な調整は、潜在的に派遣の必要性が最も早く認識された時点で開始されるべきである。必要な能力が特定できたならば要請司令部の広報官は戦闘部隊司令部の作戦運用部を通じて、JPASE（およびその他の必要な統合広報要員）の要件を正式に確認する必要がある。

f. 作戦計画

作戦計画にJPASE要員が早期に参加することは、統合軍司令官が初期の計画と作戦を強化し、その指針とする統合的な司令官コミュニケーション・シンクロナイゼーション・プロセスを発展させるうえで有用である。JPASE要員は派遣が承認され、JPASEチームが作戦地域に移動する前に、緊急事態に対する作戦計画に（電話会議または直接）参加することができる。JPASEを計画立案に参加させることにより、後続のJPASEチームメンバーの最適な活用と、指揮官に対する最適な統合広報支援を保証することができる。

g. 要望されるサポート

（1）通信能力/情報テクノロジー

JPASEは限られた種類の基本的な通信と情報テクノロジー能力しか有していない。JPASEは統合通信支援部隊（JCSE）からの専用の通信支援で派遣されることができる。JCSEは、JPASEに安全／非安全

コンピュータ接続、衛星電話、秘匿電話、商用インターネット、ブロードバンド・グローバル・エリアネットワーク、商用／防衛スイッチネットワーク回線を提供する拡張性のある通信能力を提供することができる。この能力はJPASEの派遣可能なチームにはないため、JPASEの派遣支援を調整する際に特に要求する必要がある。

（2）視聴覚情報

JPASEはスチール写真（静止画）、動画撮影、伝送能力を含む固有の視聴覚情報能力を有している。JPASEは司令官に強力な複合型視聴覚情報能力を提供するためにコンバットカメラと連携することができる。この複合能力の具体的な要求は、JPASEへの要求時に行なわれなければならない。

（3）ロジスティックス（後方支援）

JPASE は、作業スペース、宿舎、食堂、電力およびほとんどの場合、輸送手段が必要となる。またJPASEは装甲車両、非装甲車両を使用することができる。作戦地域と任務の規模が必要としない限り、通常JPASEの部隊とともに移動することはない。派遣のほとんどの場合、輸送支援はJPASEへの要請時に調整する必要がある。

（4）戦力の防護

JPASEの要員は、化学、生物、放射線、核の個人防護具を含む個人防護具一式を割り当てられ、個々の武器の使用資格を持つ。

付録F
ソーシャルメディア

「ソーシャルメディアは軍隊にも他の組織と同じように影響を与えています。スピード、モビリティ、そして双方向性から大きな恩恵を受けていますが、それにはリスクもともないます。我々はリーダーたちがこの分野に関与し、部隊でそうであるようにオンラインでも模範となることで、軍の文化や規律にプラスの影響を与える機会を強調するよう取り組んでいます。またユーモアから討論に至るまで、私たちが守る市民に軍隊の経験を公開するソーシャルメディアの役割も見てきました。特に2001年以降、軍隊に対する国民の理解がどのように変化したかに感銘を受けています。我々は軍人や退役軍人として、国民との関係を広げ、深める役割を担っており、ソーシャルメディアはその助けとなるに違いありません」（マーティン・デンプシー将軍）

1．ソーシャルメディア

　ソーシャルメディアとは、デジタル・コミュニケーション技術によって人々が互いにつながり、コンテンツを作成し、情報を共有し、対話をするためのさまざまなプラットフォームを指している。特定のメディア、プラットフォーム、テクノロジーは時代とともに変化するが、テクノロジーによって人々が互いにつながるという全体的なトレンドは高まる一方である。さらに人々が情報を得る方法は変化し、個人、企業、組織、政府などとリアルな対話をしたいという欲求が高まっている。広報のエキスパートは、主要なステークホルダーやパブリックとより効果的にコミュニケーションを図るために、ソーシャルメディアを利用するリ

ーダーや組織を支援することができる。指揮官や組織のソーシャルメディアのコンテンツを管理し、投稿することは広報の役割の１つである。

２.ソーシャルメディアを利用する理由

a. ソーシャルメディアは、司令官コミュニケーション・シンクロナイゼーションの全体的な取り組みの一部として、国民とコミュニケーションをとるという統合軍の義務を果たすのに役立つ広報機能である。また内外の人々との情報共有するもう１つの手段にもなる。ソーシャルメディアは、従来のコミュニケーション手段以上に、いくつかの強力なメリットを統合軍司令官にもたらしている。

（１）効率的
　ソーシャルメディア上のコミュニケーションは、瞬時に送信され、世界中のどこからでもアクセス可能である。さらにソーシャルメディアは、他の手段（政府のネットワーク、メッセージ・トラフィック、電子メール）が旅行、基地閉鎖、災害などの理由で利用できないときに、利用可能なコミュニケーション手段となる可能性がある。
（２）非媒介的
　ソーシャルメディアは、ゲートキーパーが存在しないため、メッセージにアクセスする可能性のあるすべてのオーディエンスにメッセージが表示されることを意味する。ソーシャルメディアの利用者は、メッセージが誤解される可能性があることを念頭に置かなければならない。このため投稿する前に、誤解が生じる可能性を極力排除しようとする。
（３）フィードバックの提供
　ソーシャルメディアは、実用的なフィードバックを提供することができる。
（４）信頼関係の構築
　応答可能な情報交換は、オーディエンスとの関係を築き、その結

果、信頼を得ることができる。ソーシャルメディア上で他者の意見に耳を傾け、共有し、関与することで、国防総省は統合軍に関する関連事項の意見交換において、主導的な役割を担う貴重な機会を得ることができる。

b. ソーシャルメディアは、外部および内部のオーディエンスとの情報共有するもう1つの手段であり、より対称的で双方向のコミュニケーションを可能にし、また現実および仮想コミュニティへの働きかけを可能にする。

c. ステークホルダーに効果的にアプローチするために、国防総省はそれらのステークホルダーが使用するコミュニケーション・チャンネルを利用する必要がある。ソーシャルメディアと他のテクノロジーは、国防総省が従来のコミュニケーション・チャンネルでは到達できなかったオーディエンスとの間に、より豊かで実質的な関係を構築しながら真正、透明、かつ迅速な方法で話題を共有する比類ない機会を提供する。

d. ソーシャルメディアの利用はまた、統合軍に課題を突きつけている。しかしながら、もし国防総省がソーシャルメディアに参加しなければ、統合軍に関する対話が継続して実施されていても、統合軍の視点が欠けている状態になる。

3. ポリシーと登録

a. DODI 8550.01 「DOD Internet Services and Internet-Based Capabilities」は国防総省の公式方針であり、国防総省非機密ネットワーク（NIPRNET [Nonsecure Internet Protocol Router Network]）の標準は、国防総省全体がインターネットとソーシャルメディアを含むインターネットベースの機能を使用できるようにオープンアクセスにするとしている。この方針はオープンで、より一貫したアクセスを提供するが、禁止

されたコンテンツサイト（ギャンブル、ポルノ、憎悪犯罪活動）はブロックされたままであり、すべてのレベルの指揮官と国防総省における部門の責任者は、悪意のある活動からネットワークを安全に保ち、ミッションを保護するため必要に応じて措置を取り続ける。

b. DODI 8550.01「DOD Internet Services and Internet-Based Capabilities」によると、軍人と国防総省職員は勤務場所や派遣場所から家族や友人と連絡を取るためにソーシャルメディアを使用することは自由であり、推奨されているが、安全に使用する必要がある。この方針は、オンライン上で自分自身と自分の情報を保護する責任を強調しており、倫理、作戦保全、プライバシーに関する現行の規制がそのまま適用されることを記述している。またすべての関係者が、機密事項、機微な内容および軍人や家族を危険にさらす可能性のある情報を決して投稿しないように推奨している。

c. 国防総省内のすべての公式ソーシャルメディアサイトは、国防総省サイトレジストリ（http://www.defense.gov/socialmedia/）において、部門とともに登録されなければならない。サービス・ソーシャルメディア・ディレクトリーの1つへの登録は、この要件を満たす。国防総省内のすべての公式ソーシャルメディアサイトと視聴覚情報を含む共有コンテンツはDODI 8550.01「DOD Internet Services and Internet-Based Capabilities, and other regulations」（http://www.defense.gov/webmasters/）に準拠し、承認されたサイトでなければならない。

d. ソーシャルメディア運用者は、最低でも所属するサービス／ユニットの必要な作戦保全トレーニングを修了していなければならない。この公共社会的な環境状況に鑑み、広報の訓練と技術的専門知識が強く推奨される。さらなる訓練の機会は、米国共通役務庁（http://www.digitalgov.gov/category/socialmedia/）および国防メディア事業局を通じて利用可能である（詳細についてはDODI 8550.01, DOD Internet Services and Internet-

Based Capabilities）を参照のこと。

4. ソーシャルメディアに関する基本的な考え方

　ソーシャルメディアは、人間関係を構築し育むためのプラットフォームであるため、その利用にあたっては、以下の原則を具現化する必要がある。

a. 真正性
　信頼感を与え、関係を構築するためにソーシャルメディアでは、誰が発信しているのかを知ることが重要である。

b. 透明性
　ソーシャルメディアでは、透明性が期待されるだけでなく、要求されることもある。都合の悪い情報を隠したり、不快な話題を避けたりすることは、効果がないばかりか逆効果になり、さらに注目を浴びることになる可能性がある。

c. 一貫性
　ソーシャルメディアを利用する人々にとって、メッセージが不規則で、配信に一貫性がなければ情報のニーズを満たすために、すぐに他の場所へと流れていってしまう。

d. 応答性
　ソーシャルメディアは従来のメディア以上に、組織の側に応答性を要求する。質問に答える。懸念事項を確認する。提案をしてくれた人に感謝する。ソーシャルメディアは、国民との理解を深めるための双方向のメディアである。

e. 前向きな姿勢

対人関係と同じように、ソーシャルメディアを利用する人々は、問題
ではなく、解決策を生み出す手助けをしてくれる人と交流したいと願っ
ている。

f. 誠　実

誠実であること。ソーシャルメディアは対話形式であり、たとえ公式
の場であっても、個性を示すことが適切である。組織の実体のない声に
なってはならない。

g. ユーモア

ソーシャルメディアの利用者は、軽妙さとユーモアを期待し受け入れ
ている。適切と不適切の境界線を理解し、必要な場合はユーモアを慎重
に使用する。

h. 敬. 意

ソーシャルメディア内の人間関係はフラットな環境である。たとえ異
なる意見であっても、他人の意見に敬意を払うことが必要である。

5. ソーシャルメディアのコストとリスク

a. どの程度の時間が必要かは使用するサイトやツール、ステークホルダ
ーやパブリックの数、生成される対話の量によって決まる。

一般的に、ソーシャルメディアに費やす時間が多ければ多いほど、よ
い結果が得られるといわれているが、地域社会との関係を成功させるの
と同じように、ソーシャルメディアは長期的でゆっくりと構築していく
キャンペーンといえる。すなわち比較的少量の時間を長期にわたって継
続的に投資することで、一度に大量の時間をかけるよりも、長期にわた
り一貫して比較的少量の時間をかけるほうが、多くの場合、より大きな
成果を上げることができる。

ソーシャルメディアを利用するかどうか、いつ、どのように利用する

かを検討する際には、既存のプロダクトやプログラムに追加するだけでなく、それらの役割をより効果的かつ経済的に果たすことができる手段として利用することも検討する。

b. ソーシャルメディアに関連する費用として、モニタリングサービス、分析、教育訓練、会議などが考えられる。このような費用はプログラムがどの程度意欲的であるか、またソーシャルメディア活用の効率化を達成するために、司令部がどの程度支出をいとわないかによって、時間の投資以上のものとなる。

c. リスクについては、一般的にいわれているソーシャルメディア活用のリスクは、一般市民とのコミュニケーションのコントロールができなくなることである。しかしながら、現実にはソーシャルメディアのようなフラットな環境では、そもそもコントロールは効かない。本当にコントロールできるコミュニケーションは、誰に対して何を言うかということだけである。またソーシャルメディア上の対話に参加しないことは、対話が成立していないことを意味するものではない。ソーシャルメディアでは、他の世界と同じように、発言したことが拡散されたり、誤解されたりする可能性が常にあるものの、実際、ソーシャルメディアの明確な利点は、誤解が生じたときに積極的な努力によって、正確な情報を発信できることである。

d. またソーシャルメディアのフラットな環境は、多くの視点を許容し、必ずしも単一の権威ある声を支持しない。したがって市民による統合軍に関するコメントは、公式スポークスマンのコメントと同様に、重要かつ権威あるものとなる可能性がある。この公平性は参加への抑止力ではなく、むしろ動機づけになるはずである。コミュニケーションへの参加、対話の主導権は市民に委ね、ソーシャルメディアへの一貫した信頼できる参加を通じて、統合軍司令官はコミュニティとの信頼を築き、オンライン上の関連する対話の中で、卓越した信頼のおける声となること

ができる。

e. 作戦保全では投稿されたすべてのコンテンツおよび一般ユーザーによるコメントについて検討する必要がある。それ自体では取るに足らない情報でも、他の情報と組み合わせることで、貴重な情報を得ることができる場合がある。

　また、地理情報などのように、不用意にデータを公開してしまうことにも注意が必要である。ソーシャルネットワークの中には、スマートフォンやデジタルカメラで撮影した画像から、地理情報タグを自動的に削除しないものもあるが、ほとんどのデバイスでは、ユーザーが一部またはすべてのアプリケーションで、地理情報タグをオフにすることができる。生年月日、出身地、高校、現住所など、個人を特定できる情報は、なりすまし攻撃に利用される可能性があるため、共有しないようにする。

　また、ソーシャルメディア上で共有された情報は、ほぼ永久に残るという点も考慮すべきである。情報を削除することが可能な場合でも、軍が管理できないサーバーやコンピューターに蓄積されることが多々ある。また、ソーシャルメディアを通じて提供される情報の集積により、サイトの全体的な分類が増加しないように注意する必要がある。

f. ソーシャルメディアに関するサイバーセキュリティの実践について、広報のソーシャルメディア実務者は理解する必要がある。誘惑的であるが、仮想プライベートネットワークやその他の暗号化されていない公共のWi-Fiから政府のソーシャルメディアサイトにログインしてはならない。多くの人は、このような場所から銀行口座情報にアクセスすることの危険性を理解しているが、ソーシャルメディアに同じロジックを当てはめることはできない。同じWi-Fiネットワークにアクセスしているハッカーは、セッション・ハイジャックを実行するツールを使って、モバイル機器なりすますのに十分な情報を収集し、政府のソーシャルメディアサイトを制御することができる。そこから、ハッカーは政府を代表して

情報を投稿することができる。政府のソーシャルメディアアカウントには、強力なアクセス制御を使用する必要がある。共有アカウントにアクセスできる人数を制限し、情報セキュリティガイダンスに沿った強力なパスワードを使用する。

g. ソーシャルメディアは、これまでと比較し格段にオープンでグローバルなコミュニケーション・プラットフォームとなっており、ステークホルダーや一般市民へのアプローチにおいて大きな力と利点を発揮している。この開放性にはいくつかのリスクがともなうが、これらのリスクはトレーニングによって軽減することができる。このような環境下においては、リスクが存在しないと思われるところにリスクが発見されるのである。

6. ソーシャルメディア・マネジメント

a. 司令部サイトの管理は、コンテンツの人気度やコミュニティの規模に左右されるため時間を必要とする。ソーシャルメディアサイトを管理する主な窓口を1つだけ持つことが有用であると考える司令部もあるが、情報を適時に管理するためには窓口が1つだけの場合、そこで障害が起きた場合には適時に情報発信ができなくなるため、あらゆるソーシャルメディアの窓口を少人数のチームによって運営することを強く推奨する。

　指揮官は、司令部のソーシャルメディアの存在を監視し、必要に応じてコンテンツを作成・投稿し、または投稿を削除し、そのソーシャル・ツール内で司令部に関与する人々と対話し、一般からの問い合わせに対応する信頼できるチームを配置する必要がある。

b. 一貫した管理を行なうため、司令部はソーシャルメディアのよりよい監視と管理を促進するため、1日を通して定期的に監視、コンテンツの投稿、人々とのコミュニケーションを行なう標準的な運用手順を確立す

る必要がある。作戦保全や公表されている業務規則に具体的な違反がない限り、コンテンツを削除したり、ページをオフラインにしたりしてはならない。そのコンテンツが好ましくないという理由だけでコンテンツを削除する組織は、国民の信頼を失い、世間から反発を受ける危険性がある。

　指揮官は投稿ポリシーを徹底するが、お世辞にもよいとは言えないからといって何かを削除することは推奨されず、最終的には逆効果になる場合もある。もし不当にネガティブなコメントがユーザーによってソーシャル・サイトに投稿された場合、そのソーシャル・ツール内で展開されているコミュニティの他のユーザーが、その不当なネガティブコメントに異議を唱えてくれる可能性がある。

c. 一貫したメッセージを維持するため、従属する部隊はオンラインウェブ用に特定の作戦や任務に関する情報プロダクトを作成する前に、統合軍司令部と調整する必要がある。こうした作業は通常、時間が限られている一方でサイトを効果的に維持するために必要な人員や組織の規模は保証されていない。こうした状況の中で効果的な情報発信をするには、より多くのオーディエンスがあり、ページ・ランキングが高い、確立されたプラットフォームを利用する。

d. ソーシャルメディアの存在を確立する際の考慮事項
　（1）サービス利用規約
　　司令部が使用するソーシャルメディアサイトの利用には、政府との間で承認された利用規約が必要である。
　（2）ステークホルダー（利害関係者）
　　ステークホルダーを特定し、彼らがどのようなソーシャルメディアサイトを使用しているかを確認する。
　（3）ブランドの確立
　　ソーシャルメディアサイトのネーミングは非常に重要で、これによって人々は意見交換をする場を見つけることができる。

（4）コンテンツ

　どのようなコンテンツをどの程度の頻度で投稿するか、またサイト上で自己表現している人への対応も含めて検討する。

（5）マネジメント

　ソーシャルメディアで情報を発信し、それを管理するチームを作る。彼らへの信頼と適切な判断が最も重要である。1人で管理するよりも、多様なメンバーで管理する方がより効果的であり、管理者が1人の場合は失敗のもととなる。

（6）ポリシーおよびトレーニング

　担当チームがどのようにソーシャルメディアを管理するかについて、業務規則を含む方針を確立する。そして、それを遵守させることが必要である。また担当者とその家族に対してソーシャルメディアの安全で責任ある使い方と、ソーシャルメディアのプレゼンスに期待することについて教育する。

（7）上級指揮官の関与

　統合軍司令官や上級指揮官の参加は、あらゆるソーシャルメディアの存在価値と信頼性を大幅に高める。上級指揮官の参加は継続的である必要はないが、定期的、反復的にサイトに対して話題を提供したり、積極的な参加はソーシャルメディアにおけるプレゼンスの質を大きく向上させる。

e. 作戦保全

　ソーシャルメディアサイトへのコンテンツ投稿を許可された人員を把握する。

　（1）ソーシャルメディアに投稿されるすべての情報が、公表権限を持ってリリースされることを保証するため、現地での手続を確立する。

　（2）投稿されるすべての情報が、広報ガイダンスに従って実施されていることを確認する。

　（3）作戦保全に違反する投稿がないか、ソーシャルメディアの現況

を監視し、必要に応じて削除する。

（4）部隊員やその家族に対して、どのような内容がオンライン投稿において不適切なものであるかについて、定期的に研修を実施する。

（5）個人のソーシャルメディアサイトのセキュリティ設定を維持するように隊員や家族に伝える。設定が不適切であった場合、彼らの情報は世界中に拡散することがある。

（6）ソーシャルメディアを通じて、定期的に隊員と家族に作戦保全の維持に関する注意を喚起する。

f. 非政府系コンテンツの承認

NGO（非政府組織）や慈善団体の承認に関するガイドラインは、オンラインでも同じように適用されるが、どのような場合に適用されるかを知るのが難しい場合がある。たとえば新聞を購読していることがその新聞を支持していることにはならないのと同様に、Facebookでページに「いいね！」を送ったり、Twitter上でアカウントをフォローすることは支持を意味しない。しかしながら承認されたもの以外の企業、組織、メディア、慈善団体に関するコンテンツを投稿したり、そのような団体に関する既存のコンテンツ（Twitter上でのリツイートなど）を司令部の公式サイトから再利用したりすると、司令部との明確なつながりがない場合は承認したものと見なされる可能性がある。たとえば地元のテレビ局による司令部に関する記事へのリンクや再投稿は許容されるが、司令部による当該放送局やその記事へのリンクや宣伝は、司令部とは無関係である場合にも推奨していると見なされる可能性があり、避ける必要がある。

7. ソーシャルメディア・プランニング

総合的な司令官コミュニケーション・シンクロナイゼーションと同様に、多くのことを検討する必要がある。

a. 目 的

（1）ソーシャルメディアを利用する「大局的」な理由は何か？

（2）目的は司令部のコミュニケーション目標を反映し、より広範な
コミュニケーションの整合に結びつけなければならない。

b. 目 標

（1）進捗状況を把握するため、現実的で測定可能な目標を設定す
る。

（2）短期、中期、長期の計画を立案する。

（3）ファンやフォロアーの数だけでなく、クオリティと心情を考慮
する。

c. 公共性・社会性の特定

（1）コミュニケーションをとるべき対象を特定し、優先順位をつけ
る。

（2）具体的化（司令部要員、地域住民、家族など）

d. コンテンツの内容

（1）伝えるべき内容と方法を決定し司令部の目標と一致させる。

（2）投稿ガイドラインおよび／またはコメントポリシーを作成する
とともに期待値を設定し、ポリシー違反が発生した場合の事後措置要
領を決定する。

（3）一般の人々が興味を持ち、コミュニケーション目標を達成でき
るようなトピックを準備する。

（4）投稿計画を迅速に立てるためのコンテンツ・カレンダーを作成
する。

（5）柔軟に対応し、一般の人々が対話を成立させることができるよ
うにする。

（6）市民の声に耳を傾けることで、真の対話が可能になる。

（7）旧来のチャンネル用に準備されたコンテンツを再投稿する以上

の内容を提供する。

（8）一般市民が司令部と互いに対話できるようなコンテンツを投稿する。

（9）オンライン・サイトのコンテンツを連携させるように計画する。

e. 標準業務手順の策定

（1）ワークフローを管理し、タスクを割り当て、シームレスな人事異動を可能にするための標準的な業務手順を開発する。

（2）アカウントを管理するための最適なチームを決定する。

（3）各ツールにおける各管理者の適切な役割とアクセスレベルを決定し、可能な限りシニアリーダーを参加させる。

（4）関連する組織（各軍種、米国政府省庁など）間の調整を計画する。

（5）緊急事態に備えたバックアップ計画を持つ。

8. 危機管理におけるソーシャルメディア

a. 危機発生時にステークホルダーとのコミュニケーションにソーシャルメディアを使うことは、そのスピード、到達範囲、直接アクセスにより、特に効果的なメディア利用であることが証明されている。ソーシャルメディアは、主要なオーディエンスやニュースメディアへの情報配信を容易にする一方、危機にさらされた人々や関心を持つ一般市民が対話するための手段を提供することができる。以下、検討すべき点を列挙する。

（1）信頼を築くために、すでにある既存のソーシャルメディアを活用する。危機が発生する以前、すなわち平時から主要なオーディエンスに対して、定期的に情報が更新されるコミュニケーション・チャンネルを開いていることが重要であり、これによりオーディエンスはオンラインで信頼できる情報を見つける場所を確保することになる。

（2）情報を集約化して提供する場所を作る。指揮系統を「緊急事態対応系統」と「後方支援系統」には分断してはならない。司令部公式のページ、またはしかるべき状況であれば、より上位の司令部のページを情報の結節点として使用する。指揮系統が存在しない場合、その危機に最も関心のある人たちが、自分たちのグループを作る決断をしなければならない場合がある。その場合、いかなる状況においても、最も影響を受ける人たちが情報を交換している場所で情報を交換する。

（3）ソーシャル・サイトに投稿されたユーザーの発信内容をモニターし、ユーザーがどのような情報を必要としているか、何が起きているのかを把握する。スタッフは質問に可能な限り適切に答え、危機に対して司令部が耳を傾け、積極的に関与していることをオーディエンスに理解してもらう。

（4）公表が可能となった情報を速やかにポスト（投稿）する。正式なプレス・リリースを待つ必要はない。

（5）モバイル端末を使用して、ソーシャル・サイトを常に最新の状態に保つこと。モバイル端末を使えば、素早く更新することができる。

（6）できるだけ頻繁に質問に答え、ソーシャルメディアに情報を掲載することだけは避け、司令部のウェブサイトなどを活用する。人々に質問されることを前提に準備し、最も適切なコミュニケーション手段で、できるだけ早く回答する。

（7）外部との対話を定期的にモニターし、不正確な情報を修正する。これは、噂が横行する前に阻止する最善の方法となる。検索エンジンやその他のモニタリング・ツールを使って、そのトピックに関する議論を追跡する。

（8）重要な情報を他の司令部サイト、米国政府機関、米国赤十字社のような公式NGOサイトなど、信頼できるソーシャルメディアサイトのネットワークで共有し発信する。

（9）現場や初期対応要員にソーシャルメディアの利用を促し、個人

アカウントを利用するか、司令部の公式ソーシャル・サイトに投稿できるように司令部の情報を提供する。

（10）プレス・リリースなどの発信資料、電子メールの署名、ホームページのリンク、さらには記者との対話の中で、ソーシャルメディアの存在をプロモートする。

（11）ソーシャルメディアによる危機管理コミュニケーションの成果について、クリックスルー、会話、返信、投稿に対する反応などを調べて分析する。

b. 危機的な状況では、情報は非常に重要である。事態によっては人々が分散し、通信手段が途絶え、噂が飛び交うかもしれない。オーディエンスは危機の影響を直接受けた人々、危機の推移を見守る家族、そして一般市民へと急速に拡大する。近年、米国赤十字社などの組織は、危機的な出来事の際のコミュニケーション手段として、ソーシャルメディアが効果的であることを認めている。

米国赤十字社が最近行なった調査によると、回答者のほぼ半数が、危機の際に自分の無事を大切な人に伝えるためにソーシャルメディアを使うと答え、この数字は前回の16%から上昇している。そして、そのうち86%がFacebookを利用し、Twitterやその他のツールを利用する人は少数派であった。また誰かの助けを必要としている場合、44%パーセントがソーシャルネットワーク上の他の人に当局との連絡を依頼することで支援を得ようとすると答えている。

（1）危機発生前

（a）司令部の承認を得て、指揮系統がコミュニケーションをサポートすることを確認する。

（b）関連するソーシャルメディア・プラットフォーム（最低でもFacebookとTwitter）において、司令部のプレゼンスを確立しておく。

（c）危機発生時に、司令部の複数の担当者がソーシャルメディア・プラットフォームを通じてコミュニケーションをとることを

計画し訓練を実施する。

　(d) 指揮命令や発生する可能性のある危機の際に、使用するキーワードを特定しておく（例：墜落、衝突、避難、人道支援など）。

　(e) 危機に際しての主要な一般市民（家族、軍人、従業員、地域社会など）を特定し、危機における彼らとのコミュニケーションの取り方を確認する。

　(f) 危機的状況にある主要な一般市民が、情報がどのように提供されるかを知っていることを確認する（例：ファミリーケア・ライン、ウェブサイト、Facebook、地元のラジオ、テレビ）。

　(g) 危機的状況下では通信サービス（電話やインターネットへのアクセスなど）が中断される可能性があることを理解しておく。電話や携帯電話へのアクセスが制限されている場合、携帯端末からのテキストメッセージやデータ転送が情報伝達の唯一の手段となることがある。たとえば停電中、広報官がFacebookを管理するために車の中で携帯電話を充電する必要があるなど、不測事態下で情報発信のために創意工夫する必要がある。

（2）危機発生時

　(a) 計画通りにコミュニケーションをとり、あらゆるコミュニケーション・チャンネルを利用して、関連する人々に情報を提供する。

　(b) 司令部にソーシャルメディアサイトがない場合は、できるだけ早く開設する。

　(c) ソーシャルメディアを積極的に活用し、適切かつタイムリーな情報を発信する。正確さは重要であるが、国民の安全と安心に影響するような有益な情報の発信を遅らせてはならない。

　(d) ソーシャルメディアを通じて国民の声に耳を傾け、適切に対応する。これは危機の間、彼らに情報を提供し、有益な情報を得るための機会でもある。

（e）危機に関するキーワードを検索し、他の人が何を発信してい
　　るかに注意する。彼らが危機管理活動について正しい情報を持っ
　　ているのかを確認し、もしそうでなければ、正しい事実を伝える
　　手段を増やし、誤解を訂正する。

（3）危機発生後
　　（a）選任したコミュニケーターに、事態を通じて学んだ教訓を助
　　言してもらい、危機管理計画の修正・変更を実施する。
　　（b）ページへの関心を維持するために、有益で興味深い最新情
　　報を提供し続ける。
　　（c）この危機を通じ、言葉を広げ、助け合い、互いに支え合って
　　いるコミュニティのメンバーに感謝すること。

9. 海外広報におけるソーシャルメディア

a. 海外のステークホルダーやパブリックとのコミュニケーションは重要
である。ソーシャルメディアを含むオンライン・フォーラムの普及によ
り、海外のオーディエンスの声を聞き、コミュニケーションをとること
が 容易になってきている。海外広報プログラムは、海外駐留または前方
展開中の統合軍の広報活動の自然な外延である。他の広報活動と同様、
一般市民とのコミュニケーションに関する基本的な考え方が適用でき
る。

b. 任 務
　オンラインによる外国の一般市民とのコミュニケーションは、統合軍
の全般的な広報任務に貢献することができる。特にこの形態のパブリッ
ク・コミュニケーションは、以下を向上させる。

（1）プレゼンス
　　（a）外国の一般市民とのオンライン・コミュニケーションは、統

合軍と国防総省からの持続的な発言の場を提供し、公式メッセージとコンテンツを伝達するのに役立つ。

　（b）効果的なプレゼンスを維持するため、統合部隊は作戦地域内および領域内のオーディエンスが参加するサイトを特定し、それに関わる必要がある。米国務省の現地チームは、そのようなサイトを知っているか、独自の努力ですでにコミュニケーションをとっている可能性がある。

（2）コミュニケーション／到達範囲の構築
　（a）関連サイトでの対話に継続的に参加することで、一般市民との信頼関係を築き、統合軍広報をより広く伝えることができる。この積極的なコミュニケーションは、統合軍のテーマとメッセージをさらに広める機会を生み出す。
　（b）これは継続的なプロセスである。地道なコミュニケーションによってのみ、外国の一般市民への到達範囲を拡大する機会を得ることができる。

（3）対プロパガンダ
　外国の一般市民とオンラインでコミュニケーションすることで敵のレトリックを発見して反論し、パブリック・フォーラムでの誤報を完全な属性を持って正せる機会を作ることができる。

（4）環境認識と対文化アドバイス
　オンライン・サイトを通じて、関連する外国の一般市民をモニタリングし、コミュニケーションをとることは、担当地域内の出来事、意見、傾向に関する情報と状況認識を得ることができるというメリットがある。これは、広く統合軍計画、特に広報計画に貢献する。

c. オンラインでの海外広報活動に関する主な検討事項

（1）広報活動として、すべての活動は完全に帰属させる。

（2）モニタリングとコミュニケーションは、ネイティブスピーカーが最も効果的である。なぜならネイティブスピーカーは、当該言語で訓練を受けた者に欠けている文化的能力とニュアンスの理解をもたらしてくれるからである。これは、統合軍がこの質の高い専門知識を得るために、契約業務担当者のサポートを必要とすることを意味する場合がある。

（3）オンラインで外国人とコミュニケーションするプログラムでは、オンラインでコミュニケーションするネイティブスピーカーが、統合軍、国防総省および米政府について適切に表現していることを確認するため、広報スタッフによる常時監督が必要である。

（4）テーマとメッセージは、その言語と文化に合わせなければ、最も効果的なものにならない。単なる直訳は、逆効果とまではいかないまでも、効果を発揮しないリスクがある。

（5）オンラインの海外広報プログラムを実施する最も効果的な方法は、広報、言語、技術的専門知識を1つの学際的なユニットに集約したデジタル・コミュニケーション・チームによって統合させることである。

（6）オンラインでの海外とのコミュニケーションには、統合軍と諸機関間の連携が不可欠である。統合軍の他の部門は、さまざまな方法、さまざまなレベル、さまざまな帰属レベル（情報作戦運用、要人に対するエンゲージメント、パブリック・ディプロマシーへの防衛支援など）で、外国の一般市民とコミュニケーションするためのプログラムを持っている。さらに米政府の他の部局（国務省、国際開発庁など）にも、海外の一般市民と協力する任務がある。外国市民とのコミュニケーションの整合性を確保し、外国市民とのコミュニケーションの衝突を防ぐためには、統合軍内部で、また省庁間パートナーとも十分に調整することが肝要である。

付録G
統合広報訓練

1. 概 要

a. わが国は、軍隊が軍事作戦で成功することを期待している。そのためには、広報がすべての作戦に完全に統合されていなければならない。これは、広報要員の訓練を確実に行なうだけでなく、統合軍が戦闘部隊指揮官の任務要件に対応できるようにする活動に広報機能が含まれることを意味する。

b. 統合訓練に参加する依存度が高まることにより、軍事訓練の効果として、広報要員は平時の通常業務から統合作戦環境の中で、効果的に業務を遂行する能力を向上させることができるようになる。統合作戦における業務遂行能力は、一部の広報要員だけが持つ特殊な能力ではなく、訓練に参加することによって、広報要員が最小限の時間内で統合業務に参加できるように準備されることが期待されているのである。

c. 統合広報には、統合広報要員の即応性と統合広報機能の訓練の両方に直接貢献する機関がいくつかある。付録Gでは、これらの機関のうちの3つとその機能および統合軍がその能力をどのように利用するかについて簡単に説明する。

2. 情報源

a. 統合広報支援部隊（JPASE）

（1）統合広報支援部隊（JPASE）は、米国輸送軍の統合実行部隊司令部の一部であり、統合部隊司令部の設立を促進し、発生しつつある

危機や有事の作戦に対応する際に生じる能力ギャップを埋めるために、即応性、迅速展開性、統合広報能力を提供する。

（2）JPASEの主な任務は、米統合参謀本部のJ-7（統合戦力開発部）の演習プログラムへの参加を通じて統合広報訓練を提供し、統合軍司令官とそのスタッフが、それぞれの作戦地域で進化する広報と情報の課題にうまく対応できるよう支援することである。

JPASEの文官広報官は、J-7が支援する各演習に配属され、すべての統合演習のライフサイクルのイベントに参加する。演習の実行中、JPASEの計画担当者は広報班のリーダーを務め、情勢調整会議に出席し、統合参謀本部と国防次官補（広報担当）室の方針と手続きに関する最新の問題や、演習シナリオにおけるすべてのレベルの広報問題に通じている。

（3）広報の訓練目的の多くはメディアとの関係にあるので、JPASEの計画担当者は演習コントロール、情報作戦、ワールドニュースネットワーク（統合参謀本部J-7演習放送ニュース能力）と緊密に連携し、総合メディア環境を構築して配信されるニュースを現実的なもののように制作し、かつ訓練参加者に最大の効果をもたらすように調整されていることを確認する。

メディア環境は、伝統的な放送と印刷メディア、ソーシャルメディア、それに敵対勢力の通信機能を包含している。JPASEは、訓練参加者と直接対面するメディアとの関わりを計画し調整する。具体的には通信社をシミュレートし、記事を書き、インタビューを行なうロールプレイング・ジャーナリストを提供し、その責任を負う。

（4）JPASEは、国防長官室や戦闘部隊司令部の広報など、上位司令部との連携を担当し、広報とコミュニケーションの同期を図るために必要な調整、指導、指示を行なう。この代表者は通常、戦闘部隊司令部や統合作戦において最近の実戦経験を持つ、軍の上級広報官である。

JPASEは担当分野別専門官がその役割に備えられるように、現在の問題やプロセスの発達から乖離しないように、統合コミュニティと国

防総省全体の現役広報官の広いネットワークと継続的な関係を維持している。さらに司令官コミュニケーション・シンクロナイゼーションに司令部全体が関与できるよう、適切な刺激を与えるために職務の垣根を越えて活動する。

（５）さらにJPASEの現職士官は、統合参謀本部J-7派遣訓練部（DTD：Deployable Training Division）が提供する派遣訓練チームのオブザーバー・トレーナーとして頻繁に活動している。

（６）JPASE は主に戦闘部隊レベルの演習を支援するが、状況に応じて他の要請も検討する。JPASEの演習支援のためのすべての要求は、統合訓練情報管理システムで入力しなければならない。要請した戦闘部隊司令部の演習担当リーダー、またはその代表は、特定の能力の必要性を確認し、JPASEの計画担当者と調整し、適切な要請が統合訓練情報管理システムに入力されることを確認する。

b. 統合参謀本部 J-7 統合訓練部派遣訓練副部長

（１）統合参謀本部派遣訓練部は、統合参謀本部および幕僚の即応性を高めるために、世界各地に派遣可能な訓練チームを派遣して支援を実施する。統合部隊は統合参謀本部J-7を通じて 派遣訓練部の支援を要請し、各軍種はそれぞれのチャンネルを通じてこの支援を要請する。

（２）派遣訓練部のタスク編成チームは、統合および各軍種司令部とその各部門に作戦即応性を高めて統合軍部隊の構築に資するため、個々の状況に応じた訓練と客観的分析を提供する。

（３）広報オブザーバー・トレーナーは、任務の計画と実行のあらゆる側面について、広報の視点、観察および広報訓練生だけでなく、部門横断的に訓練を提供し、広報が統合軍の即応体制のあらゆる側面に統合されるよう派遣訓練部を支援する。また個別訓練や集団訓練を含め、カウンターパートにフィードバックを行ない、今後の作戦計画やその後の重要文書、ドクトリンに反映させるための所見や最善事例を

収集し共有する。

c. 国防メディア事業局（DMA）／国防情報学校（DINFOS）

（1）国防メディア事業局（DMA）の一部門である国防情報学校（DINFOS）は、米軍各軍種の広報エキスパートが作戦環境下において効果的な広報能力を発揮する任務と責任に迅速に移行できるよう、さまざまな教育課程を通じて高度な訓練を実施している。

この訓練は、作戦計画、広報および視聴覚情報に焦点をあて、統合参謀本部のスタッフとしての業務遂行に重点を置き、統合作戦の中で広報の基礎・中級レベルのスキルを強化するものである。計画や実行の適応性や統合作戦計画プロセスにおける広報の役割と責任、また新興メディアやその能力の革新性や傾向など、現代のコミュニケーション理論の概念と原則を学習する。さらに情報環境、軍事コミュニケーションの倫理原則、作戦環境におけるコミュニケーション・ポリシー、法的考察、問題管理の最良事例についてもディスカッションをする。

（2）また重要な国家政策の理解、その戦略的政策からのドクトリンやガイダンスの構築、そしてそれが米国の価値観や安全保障目標とどのように結びついているのかについての教育を重視している。特に政府全体にわたって採用されている外交、情報、軍事、経済といった国力の手段の活用について教育の重点を置いている。

学生は、情報環境における米国政府、NGO、政府内組織の相互関係を調べ、効果的なコミュニケーションによって作戦計画プロセスへの情報提供、統合軍司令官の意図の支援、共通の利益を推進するための他国やパートナー国の支持をいかに得るかを学ぶ。講義では成功事例を検証し、さまざまなレベルのコミュニケーション同期化における広報の重要な役割、そして省庁間の調整とスタッフワークがどのように統合計画の担当者として不可欠であるかについて議論する。学生は、米国が信頼性の構築や維持に成功した例や失敗した例を検討し、

現場の最前線においてコミュニケーション担当者が同調したメッセージをいかにして策定し、発信できるようにするかについての基本的なソリューションを検討する。

（3）いずれの場合も、国防情報学校は厳正に統合ドクトリンとの関連性を示し、訓練内容は常に更新され、進化する作戦プロセス、最善の実践および現行の統合ドクトリンと効果的に整合していることを明確にする。

（4）広報要員は、所属する部隊を通じてスケジュールが組まれ、国防情報学校の中級・上級コースに参加する。統合軍または各軍種レベルの部隊は、国防情報学校の支援と訓練（移動訓練チームなど）を、国防情報学校の訓練責任者に直接連絡することにより追加で要請することができる。

付録H
JP3-61の主要な関連文書

JP3-61の作成にあたり主要な関連文書は以下のとおりである。

1. 国防総省発行関連文書 （Department of Defense Publications）

a. DOD 4515.13-R, *Air Transportation Eligibility.*

b. DODD 3002.01, *Personnel Recovery in the Department of Defense.*

c. DODD 3600.01, *Information Operations （IO）.*

d. DODD 5105.74, *Defense Media Activity （DMA）.*

e. DODD 5122.05, *Assistant Secretary of Defense for Public Affairs （ASD[PA]）.*

f. DODD 5122.11, *Stars and Stripes （S&S） Newspapers and Business Operations.*

g. DODD 5230.09, *Clearance of DOD Information for Public Release.*

h. DODD 5400.07, *DOD Freedom of Information Act （FOIA） Program.*

i. DODD 5410.18, *Public Affairs Community Relations Policy.*

j. DODD 3115.10E, *Intelligence Support to Personnel Recovery.*

k. DODI 5040.02, *Visual Information （VI）.*

l. DODI 5120.20, *American Forces Radio and Television Service （AFRTS）.*

m. DODI 5122.08, *Use of DOD Transportation Assets for Public Affairs Purposes.*

n. DODI 5200.01, *DOD Information Security Program and Protection of Sensitive Compartmented Information.*

o. DODI 5230.29, *Security and Policy Review of DOD Information for Public Release.*

p. DODI 5400.13, *Public Affairs （PA） Operations.*

q. DODI 5400.14, *Procedures for Joint Public Affairs Operations.*

r. DODI 5405.3, *Development of Proposed Public Affairs Guidance （PPAG）.*

s. DODI 5410.19, *Public Affairs Community Relations Policy Implementation.*

t. DODI 8550.01, *DOD Internet Services and Internet-Based Capabilities.*

u. DODM 5120.20, *Management of American Forces Radio and Television Service （AFRTS）.*

v. *The Joint Travel Regulations.*

２. 統合参謀本部議長発行関連文書
（Chairman of the Joint Chiefs of Staff Publications）

a. CJCSI 1301.01F, *Joint Individual Augmentation Procedures.*

b. CJCSI 3150.25, *Joint Lessons Learned Program.*

c. CJCSI 3205.01D, *Joint Combat Camera* （*COMCAM*）.

d. CJCSI 3210.01C, *Joint Information Operations Proponent.*

e. CJCSI 3213.01D, *Joint Operations Security.*

f. CJCSI 3270.01B, *Personnel Recovery.*

g. CJCSM 3130.03, *Adaptive Planning and Execution* （*APEX*） *Planning Formats and Guidance.*

h. JP 1, *Doctrine for the Armed Forces of the United States.*

i. JP 1-02, *Department of Defense Dictionary of Military and Associated Terms.*

j. JP 2-0, *Joint Intelligence.*

k JP 2-01, *Joint and National Intelligence Support to Military operations.*

l. JP 2-01.3, *Joint Intelligence Preparation of the Operational Environment.*

m. JP 3-0, *Joint Operations.*

n. JP 3-07.2, *Antiterrorism.*

o. JP 3-07.3, *Peace Operations.*

p. JP 3-07.4, *Joint Counterdrug Operations.*

q. JP 3-13, *Information Operations.*

r. JP 3-13.2, *Military Information Support Operations.*

s. JP 3-13.3, *Operations Security.*

t. JP 3-13.4, *Military Deception.*

u. JP 3-14, *Space Operations.*

v. JP 3-27, *Homeland Defense.*

w. JP 3-28, *Defense Support of Civil Authorities.*

x. JP 3-29, *Foreign Humanitarian Assistance.*

y. JP 3-50, *Personnel Recovery.*

z. JP 3-57, *Civil-Military Operations.*

aa. JP 3-68, *Noncombatant Evacuation Operations.*

bb. JP 6-0, *Joint Communications System.*

cc. JDN 2-13, *Commander's Communication Synchronization.*

3 統合運用関連文書 （Multi-Service Publication）

ATP 3-55.12/MCRP 3-33.7A/NTTP 3-61.2/AFTTP 3-2.41, *Multi-Service Tactics, Techniques, and Procedures for Combat Camera* （*COMCAM*） *Operations.*

第Ⅱ部
『JP3-61』の活用

（前山一歩）

1. JP3-61の概要

　JP3-61で最も注目すべき点は、広報は総務・監理のカテゴリーではなく、米軍の中でも最も重要な作戦部門のカテゴリーに位置付けられていることである。日本にとってJP3-61が最も価値ある部分はこの1点に尽きる。

　米軍でもJP3-61が発刊される2010年まで、広報は日本と同じ総務・人事部門に長く置かれてきていたが、科学技術やテクノロジーの発達による情報化社会の発展と、グローバル化による政治や社会生活における国内と国外の境界線の消滅、そして社会環境の変化によって、広報もPR（Public Relations）からPA（Public Affairs）へと考え方が変化している。

　公益社団法人日本パブリックリレーションズ協会によると、「パブリックリレーションズとは、組織とその組織を取り巻く人間（個人・集団）との望ましい関係を創り出すための考え方および行動のあり方である。19世紀末から20世紀にかけてアメリカで発展し、日本には第2次世界大戦後の1946年以降にアメリカから導入された。企業・官公庁・団体他、あらゆる組織の運営に欠くことのできない考え方で、組織体とその存続を左右するパブリックとの間に、相互に利益をもたらす関係性を構築し、維持するマネジメント機能」と説明され、PRは「関係性の構築・維持のマネジメントであり、企業・行政機関など、さまざまな社会的組織がステークホルダーと双方向のコミュニケーションを行ない、組織内に情報をフィードバックして自己修正を図りつつ、良い関係を構築し、継続していくマネジメント」と説明されている。

　一方、PAは「企業と社会との緊張関係を処理し、緩和しようとする活動。具体的には、社会を構成する各種環境主体（消費者、地域社会、行政、報道機関など）との積極的コミュニケーション手段をいう。

　PAの基本的ステージとしては、
　　①社会の動向を分析し、企業の意思決定に反映させる
　　②企業の状況、意思決定、意見などを社会に積極的に知らせていく

③社会に貢献する活動を計画し実践する

の３つの段階がある。1970年代以降に顕在化した、企業と消費者の緊張関係を背景に、パブリック・リレーションズに代わる概念としてアメリカで使われるようになった」と説明されている（出典：https://prsj.or.jp）。

　総じていえばPAはPRを基本としながら、より戦略的に主体性を持ち、積極的に相互コミュニケーションを構築することでポジティブな活動を促していくものといえる。これはグローバルに展開するステークホルダー、オーディエンス、即時性、拡散性、空間や時間のパラメーターの拡大性といった情報化社会環境への対応として発達を続けているものと捉えることができるだろう。

　したがって、現代における外交安全保障活動において、軍事が外交政策や活動と密接に連携することで、国際社会における優位性を保ち、平和と繁栄を構築していく政策行動にPAが重要であるとの認識がJP3-61のバックグラウンドなのである。

　これまで80年以上に及ぶ米軍広報の歴史を俯瞰すると、米軍広報はその時代の社会情勢の変化や技術進歩のなかで、成功と失敗の経験を積み重ねながら、常に試行錯誤を繰り返し最適解を求めながら歩んできている。その集大成であるJP3-61がPAであり、作戦・運用のカテゴリーに位置づけられて運用されているという事実を真に理解できることが、我が国の安全と繁栄への第一歩となる。

　現在使用されているJP3-61の目的は、広報における基礎的な原理やガイダンスを明示することによって、統合作戦をあらゆる側面や場面において支援することであり、より具体的には広報作戦や戦略広報任務を達成するためのものである。

　なお、JP3-61は統合参謀本部議長の下で作成され、４軍（陸軍・海軍・空軍・海兵隊の構成であるが、現在は宇宙軍が加わり、米国は５軍種となっている）が統合作戦や多国籍軍などでの作戦に適応し、米国防総省はもとより米国政府として統一された広報を実施するために編集されている。

　以下、JP3-61を概観し、米軍の広報に対する基本的な考え方を明らかにしていきたい。

2. JP3-61の価値

（1）広報の意義と役割

　広報の軍事作戦における役割についてはさまざまなものがある。現在
の軍事作戦は平時から有事まで各種のスペクトラムがあり、それに応じ
た広報が実施すべき役割は多様である。

　まず、作戦ドクトリンの中核となるJP3-0統合作戦ドクトリンでは作戦
についてどのように捉えているのであろうか。作戦を計画する大前提と
して「理解共有の構築」が最初に示されている（図1参照）。

　まず最初の段階では、データという断片を科学技術やシステムを活用

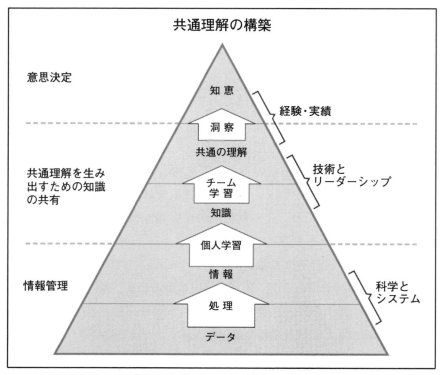

図1 理解共有の構築（出典JP3-0）

して、集積や整理が行なわれることで、人間が使うことができる「情報」というプロダクトに生成される。そして次のレベルでは、情報は整理や加工をされて、個人レベルの理解からチームレベルで「知識」として共有されるようになる。ここでは技術とリーダーシップが重要な役割を果たす。そしてここから視点や知見、経験などによって「知恵」が共有され、さまざまな政策や作戦などの判断や決断が実施できるレベルに到達する。このプロセスにおいて科学技術、システム、理解の共有をつないでいくものは、人と人とのコミュニケーションであり、逆にいえばコミュニケーションがうまくいかなければこのプロセスは成り立たないのである。

　そして、この理解の構築とコミュニケーションを基礎として、実際の作戦計画が構築されていくことになるが、そのプロセスの概念は図2のとおりである。

　このステップの各段階において、作戦検討内容にはさまざまな分野や要因が影響を与えていくことになるが、コミュニケーションの重要性と

図2 統合作戦の計画プロセス（出典JP3-0）

現実的な影響範囲を考慮すると、この段階でPAという広報に関するファクターを同時に検討しシンクロさせていくことによって、現実世界で起こるさまざまな出来事や不測事態に適切に対応できる素地をレイヤーとして織り込んでおくことができるのである。

　この2つのモデルについて、我々がプロジェクトや行事を企画、計画する際に、コミュニケーションを大切にし、各プロセスの段階で広報を織り込むことがプロジェクトの成功に有用であることは、我々の日常の体験からも容易に理解できるだろう。

　国家レベルでのかじ取りは、極めて高度かつ繊細なものになるが、特にグローバル展開、ICT時代を前提として活動する米軍にとって、現代

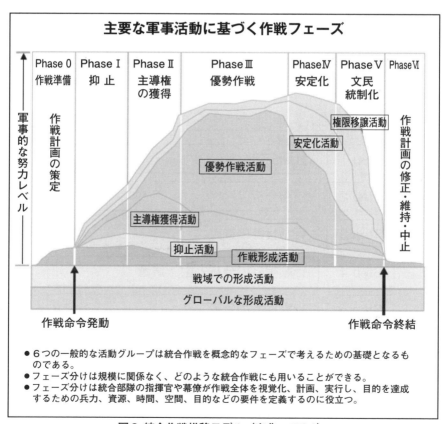

図3　統合作戦推移モデル（出典：JP3-0）

の戦争や紛争、テロリズムなどはこれまでになく複雑化している。JP3-0
では戦闘推移のモデルが図3のように提示され、さらに図4が示すよう
な環境要因の中で有利に外交安全保障を進めていくことになる。

　ここで重要なのは、何よりも軍事的衝突というものが、あらゆるコス
トと比較してもかなり高いものであり、最終的な手段と位置付けられ
る。特に戦中、戦後に必要となるコストは経済的にも人的にも膨大なも
のとなり、現代の戦争は、勝敗とは関係なく国富を大きく損失させ、国
民社会を疲労させて傷を残すことになる。

　いかに最小資源で最大限の外交的勝利を収めるか。米国の軍事戦略の
背景には18世紀の独立戦争時、植民地であったアメリカが強大な英国か
ら独立を勝ち取った戦略が原点となっており、この伝統は現在において
もアメリカで継承されている。

　こうした理解のもとで、より具体的にJP3-61を分析すると、MOOTW

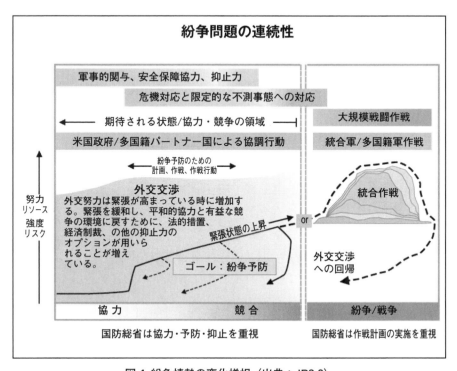

図4　紛争情勢の変化様相（出典：JP3-0）

（Military Operation Other Than War）または「ハイブリッド戦」と呼ばれる有事に至らない平時におけるさまざまな作戦が重要視されるようになっている。

米国防総省は1995年にJP3-07「戦争以外の軍事行動（MOOTW）のための統合ドクトリン」を発表し、米国が持続的な戦闘行動に従事する以外に軍事力を使用する方法を明確にした。

MOOTWでは主に、抑止力、前方展開、危機対応能力という、相互に関連する3つのメカニズムによって国家安全保障の優先事項を推進すると理解されていた。このドクトリンでは、「定期的・輪番的な派遣、アクセス・備蓄協定、多国間演習、寄港、外国軍訓練、外国コミュニティ支援、軍対軍の接触」などの持続的な軍事プレゼンス活動を通じて、安全保障環境と外交関係の形成に軍隊を使うことを明示していた。しかし、米国は2006年にMOOTWドクトリンを放棄し、戦争と非戦争の軍事作戦の間の公式な二分法を撤廃した。現在の米国の統合作戦ドクトリンでは、軍事作戦を「平和から戦争に至る紛争の連続体」で発生すると表現している。

また、「ハイブリッド戦争」は、政治的目的を達成するために、政治、経済、外交、サイバー攻撃、プロパガンダを含む情報・心理戦の他、テロや犯罪行為など、軍事的脅迫とそれ以外のさまざまな手段、つまり非正規戦と正規戦を組み合わせた戦争の手法である。

2014年のロシアによるクリミア併合で話題になったが、古代から使われたという説もあり、特に新しい手法ではない。ロシアでも、1990年代から議論されており、ロシアのハイブリッド戦争の主軸となっているといわれているのが、いわゆる「ゲラシモフ・ドクトリン」である。ロシアでは、ハイブリッド戦争が国家戦略になっており、2014年12月に改定された新軍事ドクトリンでは、ハイブリッド戦争の内容が色濃く反映されている。

ハイブリッド戦争のメリットは、低コストで、効果が大きいことにあり、たとえば正規軍を動かすには相当な費用を必要とするが、民間軍事会社を利用したり、サイバー攻撃やプロパガンダキャンペーンなどによ

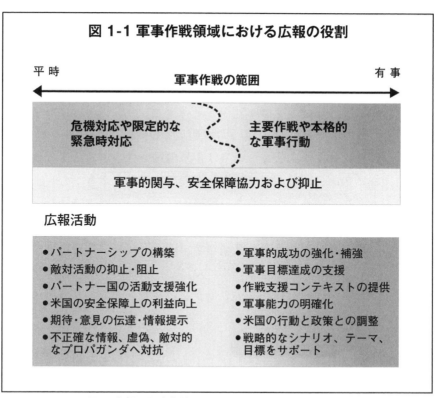

図1-1 軍事作戦領域における広報の役割

平時　　　　　　　　　　　　軍事作戦の範囲　　　　　　　　　　有事

| 危機対応や限定的な緊急時対応 | 主要作戦や本格的な軍事行動 |

軍事的関与、安全保障協力および抑止

広報活動

- パートナーシップの構築
- 敵対活動の抑止・阻止
- パートナー国の活動支援強化
- 米国の安全保障上の利益向上
- 期待・意見の伝達・情報提示
- 不正確な情報、虚偽、敵対的なプロパガンダへ対抗

- 軍事的成功の強化・補強
- 軍事目標達成の支援
- 作戦支援コンテキストの提供
- 軍事能力の明確化
- 米国の行動と政策との調整
- 戦略的なシナリオ、テーマ、目標をサポート

図5 広報の軍事作戦における役割（出典：JP3-61）

　り、コストに対する効果が大きく、また、軍事的な破壊や人員の殺傷といった負の成果を回避できることがある。

　MOOTWやハイブリッド戦争では軍事力の行使に至らない多面的な作戦が実施され、その対応が極めて重要となる。JP3-61の中では、図5が示すように、広報は平時における諸外国との友好関係の構築や、意見の表明、誤報道対応、プロパガンダ宣伝対応から、有事における作戦支援、作戦状況の公表、国家戦略・政策の支援や達成といったさまざまな役割を担っている。

　JP3-61では、日々の広報対応やメディアに対する情報提供は、作戦の実施や部隊の運用と表裏一体であり、多様な関係者と内容を整合・調整することで作戦を成功に導いていくとしている。

このような多様な役割を担う米軍の広報には、3つの大きな役割があり、つぎのとおりである。

　①自己の組織の外に情報を発信する部外広報

　②組織内や組織の構成員に情報を発信する部内広報

　③指揮官に対する報告・助言

これらについてJP3-61は次のように説明している。

　第1の部外に対する広報については、米国民や世論と対話する義務があり、同様に米国の国益が国際社会から理解してもらえることが広報の責務であるとしている。すなわち、積極的に正しい情報や映像を国内や国際社会に発信し、米国の作戦行動に対する理解を促進することで、敵対勢力のプロパガンダの効力を低減させ、国家、戦略、作戦の目標を達成していくことができるとしている。ただし、積極的に広報活動を実施するなかで、軍事作戦に関わる公表できない情報を守ることは極めて重要であり、広報と作戦情報の保全とのバランスを図っていくことが重要であるとしている。

　これは、報道の自由を保証する民主主義国家における広報が、作戦保全とのバランスをとりながら業務を実施しなければならない極めてデリケートな任務であることを示しており、公表できる情報と保全すべき情報の峻別や公表可能情報の検討などに多大な時間が必要とするため、広報が作戦・運用と一体化しなければならない最も大きな理由の1つがここにある。

　したがって、JP3-61では広報計画の作成について関係各方面との詳細な調整や意思の疎通を行ないながら計画を準備し、情報を発信することの重要性が強調されている。周到な広報計画は作戦遂行に積極的な好影響を与える一方で、行きあたりばったりの不十分な広報計画と情報の発信は、仮に作戦が成功した場合であっても戦略的な失敗を導くことがあると明記している。これは、ベトナム戦争、湾岸戦争、テロとの戦いなどの教訓と、情報化社会という環境条件への適合を考慮したものと推察でき、部外広報によって軍事作戦と米国社会との関係を良好に保つという考え方は、民主主義国家であり情報化社会である日本にも共通するこ

とから注目すべきものである。

　なお、米軍におけるプロパガンダは「直接的または間接的にスポンサーの利益になるように、あらゆる集団に対し計画的に意見、感情、物事に対する姿勢や行動について、本質を偏ったり、誤解させる各種のコミュニケーションの方式」とJP1-02（Department of Defense/Dictionary of Military and Associated Terms）において定義されている。

　第2の部内に対する広報については、米軍の将校や兵士、そしてその家族に対し、国防総省や上級司令部がさまざまな政策に関する説明、行動予定、各種の計画、作戦・運用による勤務や家族の生活への影響などに関する情報提供を適時に実施していくことの重要性を強調している。

　これは作戦を実施している部隊のみならず、米軍全体士気の維持・向上や即応態勢の強化に関わる問題であるとしている。米軍内の士気の低下や家族の不安は徐々に米国社会へ影響を及ぼすと認識されており、こうした状況は米軍に対する理解や信頼を低下させるだけでなく、場合によっては非難の対象となることから、部内広報についても重視している。特に、広報といえば部外広報というイメージが強いなかで、米軍は部外広報のみでは作戦環境の安定化は困難であると認識し、部内広報も重視している点は注目すべきである。

　第3に米軍が重視している広報の役割は、指揮官に対する報告や助言である。これは、広報官が指揮官に対し、報道分析や写真、映像情報を報告や助言をすることにより、指揮官の情勢判断に寄与するというものである。広報官はメディアや社会の関心が何であるのか、米軍はどのように受け止められ評価されているのか、広報から発信した情報はどのように理解されているのかといった米軍を主体とした報道分析を実施するとともに、報道されている敵対勢力の動向や主要メンバーの発言などの多角的な情報は、指揮官が情勢判断をするうえで客観性を維持するために有用であり、特に現場の写真や映像によって状況を的確に理解することができることから、米軍は広報の持つ能力を最大限に活用している。

（2）広報の5本柱

　米軍は、軍事作戦のすべてのスペクトラムに応じて作戦の一部として広報を実施しているが、JP3-61によればこの多様な広報には5つの柱がある。すなわち、

　　①真実・事実の公表
　　②適時の情報および映像の提供
　　③情報源の安全の確保（国家機密に関わる情報の保全義務）
　　④一貫した情報の提供
　　⑤国防総省が提供する情報を公表
　これらは、広報実施にあたり常に必要とする5本柱である。

　①の真実・事実の公表の重要性については、正しい情報すなわち事実や真実を公式に発表することで、長期にわたって有効な広報活動を実施することができるとしている。正確でバランスがとれた情報は、米軍に対する信頼と作戦の正当性をもたらすが、好ましくない情報の隠蔽や説明が不十分で誤解された情報などにより米軍への印象が悪化した場合、それを修正するのは困難な作業となる。こうした事態に陥った場合は、できるだけ早期に、オープンかつ誠意を持って説明すべきであるとしている。

　②の適時の情報および映像の提供については、関係各部とよく調整したうえで、公表が可能な軍事行動の事実や写真・映像を適時に発表することが重要としている。適時に正しい情報や写真・映像の提供は報道機関からの信頼関係の構築に有効であり、円滑な広報活動を実施するうえで重要である。また、広報官は速やかな情報発信のサイクルの確立が必要であるとしている。

　③の情報の保全については、国防総省のすべての職員および軍属は、社会的な影響が大きいと考えられる情報について守秘の義務を持っており、情報や写真・映像について報道機関からのインタビューやソーシャルメディアを通じての家族や友人との共有についても、情報や写真・映

像の公表については事前の許可が必要であるとしている。

　④の一貫した情報提供については、類似した情報が国防総省のさまざまな部署や役職の職員から国民や世論に伝わることがあるが、これは混乱のもとであり国防総省を危険にさらすことになるとしており、公表の際には国防総省が調整したガイダンスに従って実施することを強調している。

　⑤の国防総省が公表のために確認をしている正確な情報や写真・映像の公表は、指揮官、国防総省職員、軍属、広報官が実施することが重要であるとしている。また、兵士などが報道機関からのインタビューに答える場合や、家族や友人と会話する際に、正確な情報や写真・映像を提供できることは、米国社会からの理解を促進するうえで重要としている。

　広報の５本柱は、特に情報化社会において作戦・運用に関わる米軍のリスクを最小限にするために必要であると認識によると推察される。現在のような情報化社会においては、テレビ・新聞のみならずインターネットやソーシャル・ネットワークなど多様な情報ソースが存在し、さまざまな視点から情報が発信されている。特にインターネットやソーシャル・ネットワークの発達は、スマートフォンやタブレットを通じ、いつでもどこでも誰にでも簡単に世界のあらゆる情報を手に入れることを可能にしている。

　これは社会に対するメッセージを早く、そして広く伝えることが容易になる一方で、誤った情報も一気に広がり、誤解を解くための訂正や修正、反論というものが容易ではない時代になっていることを示唆している。

　したがって不確実な情報や誤情報を発信してしまった場合、短時間のうちに国民からの不信感や社会不安が一気に拡大する可能性があり、思わぬタイミングで作戦遂行が困難になってしまうリスクが常に存在しているのである。

　ところで、こうした情報化社会の特性を考えると、ある目的を達成するために情報を操作したり、情報の受け手側に刷り込みを行なうプロパ

ガンダの手法が有効であるかのように見えるが、JP3-61において国防総省は、広報におけるプロパガンダは実施しないと明言している。これは情報化社会におけるプロパガンダの手法について、米軍は逆に大きなリスクをともなうと認識し、それをJP3-61の中で明確に説明し否定している。

　これまでプロパガンダは戦争遂行のために利用されてきた。政府がスローガンを掲げ、新聞、ラジオ、テレビといったマスメディアを通じてキャンペーンを実施し、国民や世論を誘導してきた。しかしながら、情報化社会の発達によって情報ソースが多様化・多層化し、情報を受け取る側はメディアを通じて流れてくる情報をさまざまな情報源で多面的、多角的に見ることができるようになり、個人で検証できるようになった。さらに、ネットワーク上に発生するデマやフェイクニュースの拡散というものについて、社会は問題意識を持つようになり、メディアを取り巻く環境や、その構造、構図は大きく変化している。

　ここで、改めて理解と認識をしなければならないのは、ソーシャル・ネットワークの世界的な拡大と常識化により、個人が政府や大組織、そして世界の人々に対して意見を発信することができるようになり、こうしたコミュニケーションの多様化によって、情報の真偽が多くの人々によって検証される時代になっていることである。これはある特定の情報による、いわゆるプロパガンダに代表されるような情報の発信や流布による大衆操作は、必ず大きなリスクをともなうものとなっており、虚偽情報の捏造や情報の隠蔽が一度発覚すると、組織に対する不信のレッテルは、国内はもとより国際的に拡大するのに時間はそれほど要さず、現代の組織にとって致命傷となる。すなわち、JP3-61のファンダメンタルな部分では、情報の正確性は米国の生命線と認識されているのである。

　したがって、広報の5本柱は、敵対勢力によるプロパガンダを含めた情報戦の対抗手段ともなり、米軍がJP3-61の中で対プロパガンダとして広報を位置付けていることが理解できる。

　情報操作による大衆や世論の誘導から広報の5本柱への大胆な発想の転換は、民主主義という国家体制、情報化社会によって生み出されたも

のといえるが、これは政府関係機関だけでなくあらゆる組織にも多くの示唆を与えるものとして受け止めなければならない。

（3）広報組織

広報活動は、広報計画の立案、報道分析や作戦における広報効果の評価などによって、作戦や活動地域における作戦・運用を支えるが、広報を実施するうえでの計画の立案においては、関係国、他省庁、国家機関、NGOなどの関係各方面と適切な調整やコミュニケーションが極めて重要であることが述べられている。

部隊の指揮官は、広報活動が適正に作戦を支援できるように考慮しなければならない。特に米国社会やメディアに対し情報を発信する場合は、指揮官や部隊が作戦行動を実施する際の理論的根拠や作戦の種類に応じた基礎的な情報に関する理解や準備が不十分であると、不完全な情報を発信することになり、以後の作戦に影響が出ることに十分配慮しなければならないとしている。

広報計画を作成する際には、メディアからの関心がピークになるタイミングを推察し、このピーク時に対応できる態勢、初動における対応要領、メディアなどから求められる情報の内容、写真、映像に関する見積りが極めて重要である。

これは、発生した事案や作戦行動に対する世論やメディアのスタンス、すなわち国民などのオーディエンスが抱くイメージの多くが初動で形成されるため、誤ったイメージを修正するには多大な時間と労力を必要とするからである。

したがって、広報活動には迅速に積極的な情報提供をするためのきめ細やかな対応が必要であり、米軍はこうした点を認識し十分な配慮をしている。

こうした広報の特性に対応するため、米軍の広報組織の規模はそれぞれの司令部などの任務やさまざまな環境条件によって決定されるが、一般的な編成としては管理、計画（将来作戦、将来計画）、メディア・オ

ペレーション（メディア・オペレーションセンターの開設と運用）、分析評価、情報指揮、地域対応、インターネット、総務といったもので構成される。

　メディア・オペレーションの担当部門は作戦・運用部や防衛計画部と連携することで、広報が将来作戦や将来計画において戦略的に実施できるように制度設計されている。

　特に注目すべき点として、作戦行動や大災害への対処活動などが発生し、迅速かつ正確な情報発信が必要と判断された場合、メディア・オペレーションセンターが開設される。同センターは常設の司令部に併設される場合もあるが、活動している現地など、情報発信に都合のよい場所、すなわち安全が確保され、メディアからのアクセスがよい場所が選定され設置される。メディア・オペレーションセンターは作戦・運用と広報を一体的に実施するコンセプトを具体化した姿である。

　さらにここにはコンバットカメラや米軍ラジオ・テレビサービスが組み込まれ、報道デスク、報道機関支援、マーケティング、状況調査、ウェブサイト、現地メディア対応などを専門のスタッフが対応する。

　メディア・オペレーションセンターは米軍と社会との接点であり、対応する事案や作戦に関する報道機関との交流の場となる。メディア・オペレーションセンターは、国内はもとより世界中から集まる報道機関やジャーナリストに対し、多様な米軍の活動情報について迅速かつ効果的に提供する場となる。また、メディア・オペレーションセンターを海外に設置した場合は、現地の言葉に対応できる要員を配置することが示されており、米国本土だけではなく、受け入れ国や地域住民などに対して配慮した広報を実施する。

　これらは可能な限り作戦環境を安定化させることを目的とした機能組織の構築であり、早期にメディア・オペレーションセンターを設置することはメディア・オペレーションにとって重要なステップであるとしている。

　このように米軍は、メディア・オペレーションセンターの役割と設置を重視しているが、これはメディア・オペレーションセンターが広報の

5本柱を具現化したものであり、軍と社会が接する対話の場として重要であることを認識しているからである。

　米軍はメディア・オペレーションセンターから情報を発信する一方で、ジャーナリストなどを通じて米国社会や国際社会からもたらされるさまざまな情報を分析し作戦に活用している。広報が部外に対して常にオープンであることの重要性をメディア・オペレーションセンターの運用からも窺い知ることができるだろう。

3. 第6の戦場「認知領域」へのアプローチ

（1）広報エキスパートチームの維持と初動対処

統合広報支援部隊（JPASE：Joint Public Affairs Support Element）

　JPASEは2005年に設立され、約50人の広報を専門とする熟練した要員で編成された部隊である。JPASEは世界各地に派遣され、これまでにアフガニスタン、ハイチ地震、パキスタン洪水、東日本大震災（トモダチ作戦）などで米軍の広報支援を実施しており、着実に実績を積み上げている部隊である。また、派遣活動だけでなく、各地に展開する部隊の広報訓練も任務としている。

　JPASEはバージニア州ノーフォークに拠点をおいて活動している。なお、JPASEはJP3-61の2010年版に追加され、付録に細部説明が掲載されている。

a. 目的および編成

　JPASEは、JP3-61において、今日の複雑な情報環境下において米軍が作戦を成功させる能力を向上させるものとされる。JPASEは国防総省において唯一の統合広報支援部隊であり、その役割はあらゆる環境下で広報計画やメディア・オペレーションを実施できる能力と装備を持ち、現地での各種状況を掌握し最適な広報を世界各地の部隊に提供することで

ある。このためJPASEの中核となる派遣チームは全世界に迅速に派遣され、統合軍司令官や現地部隊が必要とする広報能力に対し、さまざまな選択肢を適正に提供することができる。

　また、JPASEは統合軍司令官や幕僚の広報に関する訓練、演習やセミナー、作戦計画の立案などの機会に対してもその能力を提供しており、広報に関する訓練が不十分または未実施である部隊や、米軍に対する理解者や支援者のいない地域における広報活動の支援を必要とする部隊からの要望にも対応する。

　JPASEは派遣チームの準備状況によってレッド、アンバー、グリーンに指定され、グリーンは常に派遣準備が整っている状況となっている。JPASEは常に即応態勢を整えており、派遣されるチームは、派遣先司令部や部隊などにおいて作戦の実施や不測事態などに対する広報対応における諸準備や調整を実施し、司令部や部隊の作戦遂行能力を高めている。

　JPASEは、必要とされる場所に、必要とされる広報の専門知識と経験を有する要員を派遣し、活動することを任務としているが、これは現地指揮官や部隊にとって極めて心強い組織である。大きな作戦や事案には世界から報道機関や一流のジャーナリストが取材に集まってくる。スクープを狙い、取材に鎬を削る彼らに対し、正確な情報をタイムリーに伝えることは困難な作業であり、対応する広報要員には高い能力が要求される。この場面を任せられるJPASEの存在意義は大きい。

b. JPASEの活動と能力

　JPASEは統合軍指揮官が、広報を機動的に運用するために常置されている。JPASEは部隊全体または一部を即応派遣することが可能で、派遣要望部隊側からの要求内容や調整を通じ、多様な作戦に対応する。また、JPASEは統合軍指揮官の広報に関する要求に対応するが、作戦遂行の支援といった直接的な広報だけではなく、不測事態対応などの計画を作成するための支援にも要員を派遣することができる。

　JPASEのチームは派遣される作戦部隊の編成や規模に対応できるが、

JPASEのチームに関する後方および生活支援については要望元の部隊司令部が対応する。

　なお、JPASEは統合広報の即応部隊として派遣できるように編成されているが、派遣の期間は本隊（長期派遣部隊）が到着し、本格的な活動を開始するまでの間である。本隊到着後は固有の広報部門に業務を引き継ぎ、JPASEは原隊に復帰することが原則となっている。

　JPASEの任務については、特にメディアの関心が最も高い事態などの発生の初動における対応の重要性を認識し、編成されていることに注目すべきである。報道対応における初動対応が米軍や国防総省に対する部内外のイメージを作り上げるため、その後の広報に大きな影響を与える。特に軍事的行動をともなう状況については、国内の社会不安や混乱といったものにつながりやすい可能性があることや、敵対勢力によるプロパガンダへの対抗、作戦における情報戦の優位性を獲得することなどを考慮すると、JPASEは小さな部隊ではあるが、極めて重要かつ戦略的な任務を持った部隊といえる。

　JPASEの支援領域には、顧問（Advisor）、計画および作戦運用（Planning and Operations）、メディア作戦運用（Media Operations）、ウェブサイトの設定（Publicly Accessible Website）、指揮情報（Command Information）、他省庁・部外などとの調整（Defense Support to Public Diplomacy）、視聴覚情報（Visual Information）、コミュニティとの協約（Community Engagement）がある。

　また、チームや装備の規模についても要望に応じて対応する。必要な能力については、広報任務分析に基づき派遣部隊の幕僚と統合広報支援隊の指揮官との間で実施する。JPASEの対応可能な広報の任務は、事態の状況や対応にあたる地域などさまざまなスペクトラムに対応しており、作戦・運用と一体化したものとなっている。

c. JPASEの運用

　JPASEは、統合軍司令官の許可をもって派遣される。また、JPASEは派遣部隊に対して最適の能力を有した人材の派遣を保証するため、定員

の充足については事務的に実施せず、必要な配置に対しては増員することで能力を維持している。したがって派遣要望をする部隊は、むやみにJPASEの全機能を要望するのではなく、任務に応じた必要な機能を精査し要望を実施することが求められている。

　JPASEの派遣は、広報要求に対するJPASEの対応の可否、派遣の性質など各種事項に関して考慮された後、統合軍において調整され派遣が決定される。JPASEの派遣規模や期間は、派遣可能な人材と作戦要求によって変化する。一般的にJPASEの即応チームは8人で、派遣期間は90〜120日である。

　JPASEは多様な広報活動をあらゆる環境下で実施することを任務としている。特にこれは情報が錯綜し、状況によっては上級司令部が作戦対応などに忙殺され、広報の方針なども明確となっていない場合であっても、メディアが殺到するなかで指揮官に対し発言の助言を与え、メディアに対する初動対応をこなしながら、広報活動を軌道にのせていく能力と、厳しい予算環境下で高い広報能力を確保するという困難な命題を解決するものである。

　約50人の部隊が全世界に展開する米軍全体の広報を支え、かつ事態発生時には米国民や世論の前面に立ち、敵対勢力のプロパガンダに対抗し、その間に本格的な態勢を整える一方で、予算的な負担を最小限にするJPASEのコンセプトは、人的資源が限られた日本にとっては極めて有用である。

　特にMOOTWやハイブリッド戦といったグレーゾーンにおける対応のみならず、東日本大震災のように地域の通信インフラが寸断されている状況下で、情報収集能力と発信能力がある防衛省自衛隊が、統合幕僚監部報道官室から積極的にメディアを通じて正しい情報が被災地に届けられたことは大きな経験と実績であり、今後JPASEのようなチームを派遣し活動することで、社会の安心安全を確保するうえで大いに役立つことが期待できることから、各種施策と実効性を実現し発展させていくことが肝要である。

コンバットカメラの活動イメージ
（出典：https://www.facebook.com/MarineCorpsCombatCamera/）

（2）視聴覚情報（VI）コンバットカメラ（COMCAM）

　コンバットカメラは文字どおり戦闘地域などの最前線において写真撮影やビデオ撮影を実施し、統合軍司令官の作戦および計画の要求における映像撮影支援を実施する。その歴史は古く、最初の活動は南北戦争においてリンカーン大統領が南北戦争の報告書の作成を命じたことに端を発する。

　コンバットカメラは陸・海・空軍、海兵隊のそれぞれに所属し活動している。たとえば米海軍の場合、バージニア州ノーフォークにFleet COMCAM Atlantic、カリフォルニア州サンディエゴにFleet COMCAM Pacific の２つがあり機動運用されている。基本的にコンバットカメラは統合運用の中で任務が付与され、世界中に派遣されている。

a. 目的および編成

　コンバットカメラはスチール写真やビデオ撮影を専門とするカメラマン、映像編集員など写真や映像の専門的な技術を持った要員で編成されている部隊である。コンバットカメラから派遣されるカメラマンや編集

員のチームは、作戦、広報および統合軍司令官の各種計画を支援強化するために活動する。

　コンバットカメラが撮影した写真や映像は、米軍内や政府に対して作戦情報として提供される。コンバットカメラは、米軍の広報や映像担当者、またはメディアの代表取材チームが撮影・取材できない状況や地域において活動する能力を持っており、作戦を実施している現場からライブ映像や作戦の考証に必要な写真や映像資料を適時に送信することができる。

　図6はコンバットカメラの任務について示しているが、コンバットカメラは広報のみならず、作戦、衛生、調査支援、史実の記録など多様な任務がある。コンバットカメラの注目すべき点は、さまざまな任務に応じた写真・映像を撮影・編集できることである。一口に写真・映像は現場で撮影すればよいというものではなく、目的に応じた撮影方法や編集が必要である。たとえば部隊の行動記録とメディアに提供する報道写真、広報ポスターに使用する写真では、選ぶべき被写体が異なり、写真のテーマや焦点を当てる部分が異なってくる。コンバットカメラの多様な任務への対応能力は、写真・映像が持つ情報化社会への影響力の大きさを考慮すると極めて重要である。

b. コンバットカメラの運用

　コンバットカメラは、任務に応じて各軍種に所属するコンバットカメラ部隊から派遣されるチームが選定され、現地に派遣される。現地に派遣されているチームは一般的に統合参謀本部の作戦部（J-3）から直接作戦指揮を受けており、作戦のすべてのスペクトラムで支援が可能である。また、コンバットカメラの任務などの調整は統合参謀本部の作戦部（J-3/J-39）で実施され、適時に適切な人材によってチームを編成し、派遣されたチームは所要の任務を実施している。また、計画サイクルの中で広報に使用する映像要求に優先順位をつけることも重要である。

　メディアに提供する映像などは、公表のタイミングに注意する必要がある。特にメディアから映像などの提供を要望されている場合については、適時性について適切な配慮が必要である。

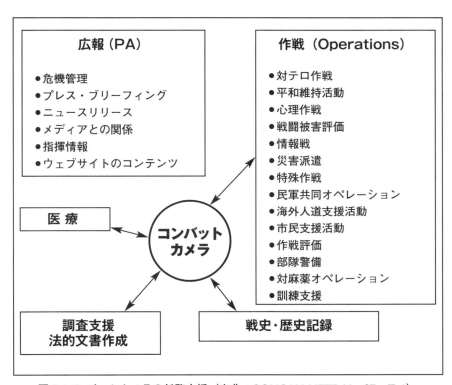

図6 コンバットカメラの任務支援（出典：COMCAM MTTP May07 pⅢ-1）

コンバットカメラにおける業務としては、連絡チームがメディアから
の要望と映像などの提供を担当し、司令部のマネジメント・チームが部
内からの映像要求や広報からの映像要求に対応している。コンバットカ
メラの写真・映像情報は可視化された情報として、米軍は作戦・運用に
活用しているが、何よりも注目すべき機能は、メディアが取材できない
環境下の写真・映像情報を広報として情報発信できることであり、対世
論、対プロパガンダとして重要な役割を担っていることである。

（3）グローバルスタンダード人材の育成（DINFOS）

メリーランド州フォート・ミードにある国防情報学校（DINFOS: De-
fense Information School）はJP3-61の中でも紹介されているが、同校は広

国防情報学校（出典：DINFOS HP https://www.dinfos.dma.mil/）

報に関するさまざまな教育課程を有しており、世界各国から主として政府職員や軍人を留学生として受け入れている。

　国防情報学校は過去80年以上にわたり、さまざまな教育課程で要員を養成し、米軍の行動を記録し伝えるために必要な技術と専門知識を教育してきた。

　1996年度に国防情報学校（Defense Information School）と国防視聴覚情報学校（Defense Visual Information School）が統合され、1998年度にはさらに国防写真学校（Defense Photography School）が統合され、国防総省内にこうした専門分野を総合した機関として国防情報学校が誕生した。

　国防情報学校は、歴史的な経験を誇る広報、放送、映像情報の多様なニーズに応える学校として運営されている。国防情報学校に設置されているコースの一例を示すと次のとおりである（出典：https://www.dinfos.dma.mil/）。

● デジタルマルチメディアコース
● 中級モーションメディアコース

- 中級パブリック・アフェアーズ・スペシャリスト・コース
- 中級フォトジャーナリズム・コース
- 有事広報コース
- 統合中級広報コース
- マスコミュニケーション基礎コース
- 留学生のためのパブリック・アフェアーズ・コース
- 広報・コミュニケーション戦略講座
- 視聴覚情報マネジメント・コース
- 放送ジャーナリズム
- グラフィック・デザイン
- ビジュアル・ドキュメンテーション
- ビジュアル・ドキュメンテーション―写真
- ビジュアル・ドキュメンテーション―ビデオグラフィ
- ライティング（記事作成）
- テレビ機器メンテナンス基礎講座
- 放送用ラジオ・テレビシステム整備コース

たとえば留学生コースの内容は次のようなものがある。

【コースの目的】

　留学生向け広報コースは、派遣された米軍と同盟国およびパートナー国の間での広報およびコミュニケーション戦略における相互運用性を深めることを目的としている。このコースは、各国政府から派遣された軍人や政府職員が広報の機能を果たすための能力を養うことを目的としている。このコースでは、米国中心の軍事広報へのアプローチを強調するのではなく、米国、NATO、国連のアプローチを比較対照し、個々の国の要件に適応できる基本的な広報の知識とスキルの付与に重点を置いている。

【コースの説明】

　留学生コースは、同盟国やパートナー国の軍人や政府職員を対象に、

国防情報学校学習風景
（出典：DINFOS HP https://www.dinfos.dma.mil/Home/Home-Test-Page/）

文化的背景を考慮した形で広報の基本的な知識と技能を提供している。講義、実演、演習、ケーススタディ、課題図書、フィールドトリップ、ゲストスピーカーなどを通して、最新の広報概念、ツール、コミュニケーション戦略の基礎を習得し、各国の軍事広報活動にも応用できるようにしている。なお、英語の理解度はそれほど厳密ではない。

　コース教材は、コミュニケーション・プランニングとメディア・リレーションズを中心に構成され、全般を通じて受講生には高い水準の誠実さを維持することの重要性が強調されている。

　また、言語的な制約を考慮し、学生は筆記試験ではなく、実演、演習、口頭試験を通じてコースワークの理解度を確認される。

　このコースは、コミュニケーションプランの立案と開発が到達点に構成されている。最終的に受講生は自分の所属する司令部が直面しているさまざまなコミュニケーションの課題に対処することができるように教育される。

【留学生向けコース】
- 留学生のための広報講座
- デジタル・マルチ・メディア・コース
- 中級モーション・メディア・コース
- 中級広報スペシャリスト・コース
- 中級フォトジャーナリズム・コース
- 統合非常事態広報コース
- 統合中級広報コース
- 広報・コミュニケーション戦略資格取得コース
- 映像情報管理コース
- テレビ機器メンテナンス基礎講座

　現状として、グローバルICTに対応するための人員を育成する教育機関、教育制度が日本にはない一方で、国防情報学校ではさまざまな分野、かつレベルに応じた教育が受けられることは注目に値する。したがって、国防情報学校へ日本政府職員や陸海空自衛隊員などの広報要員を派遣し教育訓練を受けることで、最先端レベルのスキルを身に着けた人材を育成することができる。

　こうした人材が拡充、充実し、所要のポジションにおいてグローバル・スタンダードレベルに対応する戦略的な広報を実施できるようになることは重要であり、我が国の外交安全保障分野でのアドバンスに大きく寄与する戦力となる。

4. ソーシャルメディア時代の広報メソッド

（1）マーケティングにおける消費者行動モデル

　企業、公共団体など多くの組織の重要なマーケティング・ツールの1つとして広告がある。広告による消費者の行動パターンは、19世紀終わ

りから多くの研究者によって研究されてきた。

　近年まで活用されていたモデルは、マスメディア時代の消費者行動を反映したAIDMA モデルで、「注意（Attention）、関心（Interest）、欲求（Desire）、記憶（Memory）、行動（Action）」という商品・情報を認知してから購買に至るまでの心理・行動のプロセスを踏まえたコミュニケーション戦略である。

　インターネットが活用されるようになり、現在は消費行動の変化を反映させたAISAS「注目（Attention）、興味（Interest）、検索（Search）、行動（Action）、情報共有（Share）」という消費者の行動プロセスモデルが活用されている。

　AISASはインターネットをはじめ家庭におけるメディア環境が進化するなかで情報を検索・比較検討し、友人や仲間たちと共有する消費者の行動を電通がモデル化したものである。

　AIDMAと AISAS の違いは、「欲求」が「検索」になり、「行動」になるところである。これは、ICT時代の消費者の特徴である欲しい物に関する情報を自分で調査し、それを最も効率的な方法で入手することを反映したものである。現在の生活者・消費者は、自ら行動し、体験を評価し、それを他者と情報共有を図り、自らの情報を発信したいと考え行動する。それが情報共有のプロセスとなる。

　AISASは「検索」という情報環境の変化を捉えたものであるが、さらにソーシャルメディア普及が進展したことに注目した「SIPSモデル」が、電通モダン・コミュニケーションラボから発表されている。同社では、AISASはなくならないとしながらも、ソーシャルメディア時代の新しい生活者消費行動モデルは、

- 共感（Sympathize）
- 確認（Identify）
- 参加（Participate）
- 共有・拡散（Share & Spread）

と整理し、SIPSと名付けた。これは、共感と共有、拡散が現在そして将来の消費行動プロセスで無視できないと考えるもので、検索からソーシャルメディアへの移行を中心に捉えている。こうした消費者モデルの変遷は、ICT社会の発達に連動しており、インターネットの登場とコンテンツの増加、グーグルに象徴される検索サイトの発達によってAISASなどのモデルが誕生してきた。すなわちソーシャル・ネットワークやメディアのリアルタイム化といった展開は、メディアを「影響」という視点で捉える広告宣伝領域における消費者行動モデルに反映されている。

（2）SIPSモデルの可能性

a. SIPSモデルの概要

　ソーシャルメディアの世界では、友人・知人とつながりやすいことから、さまざまなつながりのなかで多くの人々と簡単にコミュニケーションをとることができるという特徴がある。また、このコミュニティには、参加する人々の人間関係が持ち込まれたため、ネット上においても実社会とあまり変わらない社会的行動がとられるようになっている。このため、従来ネットは「ネガティブな言動をしやすい場所」として認知されていたが、ソーシャルネットは「ポジティブな行動をとる場所」に変化している。

　こうした環境条件を踏まえてSIPSモデルは構成されているが、ここではモデルの各シークエンスの特徴について分析する。図7にSIPSモデルの概念を示す。

　まず、最初の「共感（Sympathize）」がSIPSモデルのサイクルの入口となるが、この共感には2つの種類あるとSIPSモデルでは捉えている。

　第1の共感は「情報発信源への共感」である。これは組織の活動や社会貢献活動、広報活動などによって出来上がる組織のイメージがポイントとなる。ブランドや商品自体に対する共感もこれにあたる。また、その情報を広めている個人に対する共感も大きな要素となっており、信用できる友人・知人、有識者、有名人などが何を語っているのか、または

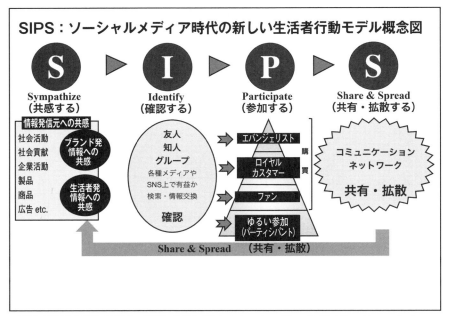

図7 SIPSモデルの概念（出典：電通「サトナオ・オープン・ラボ」https://www.dentsu.co.jp/news/release/pdf-cms/2011009-0131.pdfをもとに筆者作成）

その情報について誰が語っているのかということも共感を生む重要な要素となる。

　第2の共感は「情報そのものへの共感」である。組織から発信する情報を多くの生活者・消費者に届けるには、いかにその情報に共感してもらうかが重要となるが、特に組織やブランドに深く共感した生活者・消費者による強いリコメンド（共感）を得た情報は広がりやすく、拡散するスピードも加速しやすい。また、この情報を発信する生活者・消費者は、積極的に友人・知人に情報を広めようという行動をとるため、ソーシャルメディア時代のコミュニケーションの鍵は、いかにして組織やブランドの応援者、支援者、伝道者になってもらえるかということが重要となる。

　参加者のエンゲージメントプロセスを示すと図8のようになるが、これらの参加者、応援者、支援者、伝道者へと経ていく過程は、ライフタイムバリュー（生涯顧客価値）を高めていく過程と重なる。これは、広

く伝え新規顧客を多く獲得するという従来のマーケティングから、一度獲得した顧客と「長い関係性（ロング・エンゲージメント）」を構築していくことが重要となる。

2番目の「確認する（Identify）」のシークエンスは、共感した情報や商品が本当に自分の価値観に合致するのか、本当に自分にとって有益であるのかということを、検索だけでなく、あらゆる方法で確認するプロセスとなる。確認の手段は、友人・知人の意見、専門家の言葉、専門情報誌、マスメディアなど多岐にわたる方法が使用されるが、この確認の行動は、情報の内容や真偽、商品の機能や価格などの客観的・相対的な比較検討よりも、主観的かつ感情的なものである。これは、共感という主観的または感情的なものが出発点となっているため、何らかの不正や虚偽が発覚すると、その反動、反発というものが非常に大きくなる。す

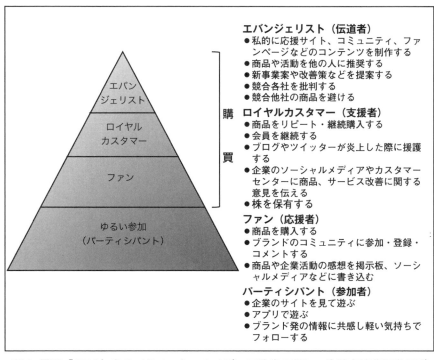

図8 電通「SIPS」来るべきソーシャルメディア時代の新しい生活者消費行動モデル概念（出典：http://smmlab.jp/article/what-is.sips/）

なわち、不正・虚偽は情報発信元や商品のイメージや評価を著しく損い、それが広範囲に拡散するリスクが潜在している。

したがって、この確認のシークエンスにおいては、情報の透明性の確保や組織や情報発信者の誠実さ、誠意といったものが極めて重要となる。

3番目の「参加する（Participate）」のシークエンスは、共感した情報を友人・知人に広める行為によって、情報の送り手の活動に参加するものである。この参加こそがソーシャルメディア時代のコミュニケーションの特徴であり成功の鍵となる。参加は興味喚起であり、友人・知人に伝わった情報は、さらにそこから発信される波紋型のコミュニケーションとなる。この波紋型のコミュニケーションは乗数的に広がるため、大勢に一気に伝えるこれまでのマス・マーケティングとは異なる情報伝搬となる。

最後の「共有・拡散する（Share & Spread）」では、共感によって情報がソーシャルメディア上で共有されることで、情報そのものが自動的かつ参加者自身が自覚することなく拡散していく状況である。これまでネット上で、生活者・消費者が属しているコミュニティが交わりあうことはほとんどなかったが、ソーシャルメディアでは、前述したように現実社会の人間関係がネット上に持ち込まれているため、複数のコミュニティが交わりやすい構造を持っている。

実際の人間社会は、職場、地域、学校、趣味など、さまざまな人間関係や社会関係が複層的に構成されているため、それがソーシャルメディア上で共有される状況となる。このためSIPSモデルでは、母数の拡大が乗数的な情報伝播を生み出すとともに、このサイクルがループ化し、さらに伝播が拡大していくというのがソーシャルメディア時代の特徴となる。

b. ニュースの構造とニュース・バリュー

さまざまなコミュニティや人間関係がソーシャルメディア上で交わることで、情報が自動的かつ無自覚に拡散していくICT社会において、マ

スメディア（特にテレビ）による集中的な情報の大量発信が有効である
とSIPSモデルを提唱した電通モダン・コミュニケーションラボでは分析
している。

　集中的かつ大量の情報発信によって、どこかのコミュニティや人間関
係のつながりの中心部分に伝わり、その情報に共感がともなうと、その
情報は異なるコミュニティやつながりに自動的かつ無自覚に拡散し、
SIPSモデルのループサイクルがスタートすることになる。

　しかし、ここでマスメディアを通じて情報を伝達する場合、その情報
は一般的にジャーナリズムのフィルターを通ることになることから、広
報戦略の構築にあたりジャーナリズムの機能と影響について考慮する必
要がある。

　社会では常にさまざまな出来事が発生している。その無数の出来事の
中から特にニュースとなる出来事が選択され、取材活動、記事作成、編
集というプロセスを経て報道されることになる。その過程には「関門
（GATE）」があり、その関門を通過した出来事だけが、最終的にニュ
ースとして報道される。このゲートには、ニュースの重要度を判断する
ジャーナリスト（記者または編集者）がゲートキーパーとしての役割を
担い、社会で起きている無数の出来事の中から、ニュースを選択してい
る。

　情報はこうした関門において、各ゲートキーパーの判断によって次の
過程へ進むため、途中でニュースとしての価値がないと判断されると、
情報はそこから先へ進まず、社会に伝えられることはなくなる。ジャー
ナリストは、ゲートキーパーの役割を担いニュースを選択することにな
るが、その価値判断基準となるのが「ニュース・バリュー」である。こ
のニュース・バリューの基準によって、出来事や情報はふるい分けされ
取捨選択される。その特徴をまとめると表1のようになる。

　このニュース・バリューには12の項目が分析されているが、これらの
項目は、ジャーナリストらによって社会的・政治的なインパクトや重要
性などに応じて判断されていく。この判断基準は、ジャーナリストらが
専門職業人になる過程で社会化され、画一化していく。

	ニュース・バリュー	ニュースになりやすい内容
1	周期性	出来事の発生がニュース・メディアの報道周期に合致 長期サイクルの出来事はピークの時期を除くとニュースになりにくい
2	強度	社会に与える刺激が強烈
3	明瞭性	曖昧ではなく単純な出来事
4	関連性	文化的な近接性や関連性が高い出来事
5	協和性	人々の期待（予期や願望）に合致する出来事
6	意外性	予期されていない出来事。稀にしか発生しない出来事
7	持続性	一度ニュースになった出来事 （強度が極度に減少しても引き続きニュースになりやすい）
8	均衡性	ニュース報道の全体的均衡を構成するのに役立つ出来事 例：外国ニュースが多いときにあまり重要ではない国内事件など
9	エリートに対する志向性(a)	エリート国家（先進国）に関する出来事
10	エリートに対する志向性(b)	エリート層（政治家・官僚・財界人・文化人等）に関する出来事
11	擬人性ないしは人物志向性	特定の人物ないしは固有名詞で扱い得る人物の行動を主題とする出来事
12	否定性	社会にとってマイナスになるような出来事

表1 ニュース・バリュー（出典：大石裕『コミュニケーション研究』慶應義塾大学出版会、2016年、189-191頁を基に筆者作成）

　このため、ニュース・バリューが反映されるニュースの生産過程を通じて、マスメディアが報道するニュースには、一定の「共通性」が生じることになる。したがってゲートキーパーのフィルターを通り抜けてきた社会の出来事や情報、すなわちニュースは公的な問題や世論形成に大きく寄与することになると同時に、共通性という「共感」を備えており、SIPSモデルにおいて重要な役割を果たすことになると考えられる。

c．ソーシャルメディアにおけるSIPS モデルのリスク

　SIPSモデルでは、次の2つのリスクが存在すると考えられる。

　その第1は、情報や組織の信憑性や透明性に関するリスクで、情報の操作や捏造、組織などの不正や隠蔽といった事実が明らかになった場合、情報の信憑性や透明性が失われ、共感は反感となって組織やブランドの存立に影響を及ぼす重大な事態をもたらすことになる。この点についてはJP3-61の広報の柱の中でも最も重要な部分の1つであり、十分考慮する必要がある。

その第2は、情報の伝播が乗数的に拡散することで、流言や情報パニックが一気に発生するリスクである。流言は、自分の生命や財産が脅かされるような問題の重要性が高ければ高いほど発生しやすく、情報不足や情報統制によって真偽が定かではない曖昧な場合に発生する可能性がある。加えて情報が曖昧であればあるほど流言は広範囲に伝わるという特性を持っている。

　また、情報パニックは、メディアを通じて流れている情報が誤解や極解されたり、意図的に虚偽の情報が流されたりすることで社会的な混乱が生じる状態である。これらの流言や情報パニックは、人々が不安、不満、願望などの強い感情と曖昧な情報に対して、何とか事態の意味を知りたいという心理的メカニズムによって引き起こされる。

　ICT社会において、これらのリスクによる社会的混乱が発生した場合、短時間に大規模・広範囲に事態が拡大する可能性があり、こうした事態の発生を抑止するためには、情報や組織の信頼性や透明性が極めて重要となる。したがって信頼性や透明性に裏付けられた社会が必要とする情報を、適切なタイミングで発信する努力の継続が求められることになる。

d. SIPSモデルの限界

　SIPSモデルは、対話的コミュニケーションとして有用であることは、これまで述べてきたところであるが、一方でいくつかの問題点を指摘しなければならない。

　まず、第1にSIPSモデルはICT時代のコミュニケーションについて分析されているものの、定量的なデータなどによってその実際の効果や比較調査の資料や研究が十分ではない。したがって、今後、具体的な事例やデータによってSIPSモデルについて検証していくことが必要である。

　第2に、SIPSモデルでは情報の発信者や受け手の具体的行動が示されていない。すなわちサイバー空間を中心とした情報伝達という行動が示唆されているが、「購入」といったような具体的な行動（Action）がどのようにリンクしていくのかが不明である。特に危機管理に携わること

も多い広報にとって、社会や世論、流言や情報パニックをはじめとする
さまざまな行動や反応がどのタイミングで発生する可能性があるのかと
いうことは重要なポイントであり、明らかにしていく必要がある。

　そして第3に、SIPSモデルを実際に運用するには、広範囲に及ぶ周到
な計画が必要なことである。特に参加者のエンゲージメントには、各分
野に対する人的ネットワークや専門的な知識が必要であり、それ相当の
人的・経済的・時間的コストを考慮しなければならない。こうしたコス
トが制約となってSIPSモデルは、限定的な範囲における運用しか実現で
きない可能性がある。

　以上の3点は、SIPSモデルの活用においては慎重に準備し、関係各部
との十分なコミュニケーションを構築したうえで、所要の成果を収める
ものであることを理解することが必要となる。

e. SIPSモデルの広報活動への活用方法

①価値あるメッセージの発信（共感）

　SIPSモデルが重視する2つの「共感」のうち、イメージ・ブランド
に対する「情報源に対する共感」は、ウェブサイトなどを活用して、
文字、画像、映像といった多彩なコンテンツを提供し、多様な参加レ
ベルに応じた対応によって参加を獲得していくことがポイントにな
る。特に参加者、応援者の獲得には、組織やその活動に対する分かり
やすい説明、簡潔明瞭なメッセージの発信によって理解を促進させる
ことに留意し、初歩的な参加と共感を得る機会を継続的に提供するこ
とが成功の鍵を握る。また、ICT社会の特徴からコンテンツが提供す
る情報の賞味期限は重要であり、情報の適切な更新は重要である。

　「情報そのものに対する共感」は、ジャーナリズムのフィルターを
通して伝達されることから、発信するメッセージのニュース・バリュ
ーについて十分な検討を実施し、内容を構成していくことがポイント
になる。特にゲートキーパーのフィルターの存在とその影響は情報の
流通に大きな影響があるため、組織や情報の信頼性や透明性の確保に
最大限の努力を払わなければならない。加えて、マスメディア（特に

テレビ）は、情報源として各年齢層が重視しており、発信されたメッセージがソーシャル・ネットワーク上のコミュニティを通じて急速に認知・拡散する性質が有効である反面、誤情報や恣意的な情報、捏造された情報に対する反感のリカバリーは極めて困難な作業となる。

②多様なデータ提供と説明責任の遂行（確認）

　共感した情報が本当に自分の価値観に合致するのか、本当に有益であるのかという調査や検索に対し、周到な事前の準備がポイントとなる。確認の手段は、友人・知人の意見、専門家の言葉、専門情報誌、マスメディアなどさまざまな方法が想定されるが、ここでの確認の行動は、情報の内容やその真偽などが客観的・相対的な比較検討が行なわれるというよりも、主観的かつ感情的な比較検討になることはこれまで述べてきたところである。特に、この確認の行動は、共感という主観的または感情的なものが出発点となっていることから、何らかの不正や虚偽が発覚するとその反動、反発というものは大きく、ここでも組織や情報発信者の誠実さ、誠意といったものが重要になる。

　したがって、情報の発信に先立ち、コミュニケーション全般の過程についてグランドデザインを検討し、戦略的な広報活動を実施する準備が必要である。具体的には、迅速な事実関係の説明、画像・映像情報の提供する態勢を構築し、検索のシークエンスにおける信頼性を確保しなければならない。

　こうした広報活動の計画や実施には、マンパワーと情報の集約・一元化を図るためのシステムが必要であり、広報センターや報道センターといったものを状況に応じて設置し、限られた資源を有効に活用するための取り組みが、組織と社会のコミュニケーションを活性化させる。

③参加コミュニティの提供・支援（参加）

　SIPSモデルでは、情報の共有に参加することがソーシャルメディア時代のコミュニケーションの特徴であり、応援者、支援者、伝道者の

積極的な行動が成功の鍵になる。特に参加者の軽い気持ちでの参加行動はブランド情報を広めるためにも重要であり、ソーシャルメディア上のコミュニティの提供によって、参加の場やきっかけを創出することがポイントになる。

SIPSには具体的な人々の購買などの行動については示されていないが、サイバー空間での参加に加えて、具体的に人々が集い、顔を合わせて触れ合うコミュニケーションの場の設定は、人と人との理解を促進し、関係を構築する貴重な機会となる。各参加レベルに応じてフォーラムやシンポジウムなどの開催、イベントの企画や他の組織・団体などの企画するイベントへの参加や協力、地域コミュニティへの参加、各種社会貢献などさまざまな機会の設定は、人々のコミュニケーションを活性化につながる。この活性化は、SIPSモデルをさらに効果的にサイクルさせる原動力となる。

④通信・言論の自由の確保（共有・拡散）

共有・拡散のシークエンスにおいて、メッセージの共有・拡散をコントロールすることは困難であることに加え、情報操作という行為は、情報を発信した組織自体の信頼性・透明性の評価に直結することになり、極めてリスクが大きいことはこれまで分析してきたところである。すなわち、通信や言論の自由を確保することは民主主義社会の根幹をなす問題であり、信頼の根源であるということもできよう。

ICT社会において情報発信をする場合、社会や世論などからの批判には、逃避することなく、組織全体として真摯に取り組む姿勢が極めて重要であり、正々堂々とした取り組みが信頼を維持する基本となるのが、ICT社会という時代である。言葉を変えれば、事実の隠蔽は最悪の選択肢であることを強調しておきたい。

⑤SIPSモデルのリスクと限界への対応

SIPSモデルの持つ２つのリスクに対しては、情報や組織の信憑性や透明性の確保を維持することである。また、流言や情報パニックを防

止するためには、曖昧な情報の排除と、十分に信頼できる情報量の提供がポイントである。

　特に、マスメディアはコミュニケーションの過程において重要な役割を果たすことから、ニュースの生産過程やニュース・バリューに関する視点を持ち、最新の状況を確認し、適切な情報を適時に提供していくことがポイントである。

　SIPSモデルが活用されるソーシャル・ネットワークは、敵対勢力などによるプロパガンダ、サイバー攻撃などの脆弱性を有している。ICT社会は便利である反面、いわゆる「なりすまし」による誤情報の発信やコンピュータウイルス、ハッキングなど、見えない危険が数多く潜んでいる。また、情報通信ネットワークは極めて重要なインフラであり、ネットワークの混乱や切断は、経済活動をはじめとして、社会活動にも大きな影響が生じる。システムの抗たん性の向上とともに、複数の情報ソースを活用するなどしたバックアップによって、信頼性を維持・向上させていくことが今後の課題といえるだろう。

5. グローバルICT時代の広報

　これまで、JP3-61を中心に米軍の広報活動が作戦・運用と一体化したものとして位置付けられ、重要な役割を担っていることを分析し、マーケティングモデル、SIPSモデルの活用などの検討をしてきた。

　現在の軍事作戦は平時から有事までさまざまなスペクトラムがあり、それに応じて広報は、友好関係の構築、意見の表明、報道対応、プロパガンダ対応から、国家戦略・政策の支援や達成といったさまざまな役割を担っている。

　こうした活動は広報の5本柱に基づき実施されており、状況に応じてメディア・オペレーションセンターを設置し、JPASEやコンバットカメラの支援によって、あらゆる地域において即応できる万全の態勢を構築している。米軍は広報を作戦・運用と一体化して実施することにより、

さまざまなリスクやハンディ・キャップを克服し、作戦遂行を成功へと導いていく努力をしている。こうしたことを踏まえ、グローバルなICT時代における広報のあり方について考えてみたい。

（1）作戦・運用としての広報

　なぜ広報は従前の総務や監理のカテゴリーではなく、戦いのフロントラインである作戦・運用というオペレーションのカテゴリーであることが大前提となるのであろうか。具体的なシナリオを想定してみたい。

【想定シナリオ】
● A国：民主主義国家である島国。世界有数の経済立国であり、第2次世界大戦の敗戦後は平和国家として外交努力を続けている。国民感情として戦争加害者としての立場と、戦争被害者としての立場の意識が複雑に交差している。軍事力（武力）の行使には政治的にも国民感情的にも極めて慎重な国家。
● Z国：一党独裁の覇権主義国家。近年、高い経済成長を背景に軍事力の増強を続けており、国際社会のルールに対して挑戦的な行動をとっている。また、軍事力（武力行使）に対して政治的、国民感情的な抵抗が少ない核保有国。

【状況】
● S島は19世紀末からA国が領有し、A国民の開拓によって島内に水産加工施設、船着き場が作られた。最盛期は約250人が生活する村があったが、1940年代に水産事業が中止となり無人島になった。S島周辺海域は豊かな漁場として知られていたが、1980年代に石油資源の存在が確認されるとZ国が領有権を主張し始めるようになった。
● 近年、Z国沿岸警備隊の船舶がS島領海内に侵入する事案が増加し、A国およびZ国の沿岸警備隊が対峙する状況が続いていたが、Z国海軍艦艇もS島周辺海域で演習を行なうなど両国間の緊張が高まっている。

・Z国はコロナ感染拡大にともない大きく経済成長が減速し、コロナ後は、経済成長を支えてきた輸出が鈍化するとともに、不動産の過剰投資による国内不良債権の急増、地方経済の破綻、若年層の失業率の増加など、深刻な社会問題が顕在化している。こうしたことを背景として各地で暴動が発生し、国内政治は激しい権力闘争と際限のない粛清が繰り返されており、政権の実態は不安定である。

【想定事案】
・某月某日早朝、Z国の漁船団が悪天候を理由にS島に接近、A国沿岸警備隊の警告を無視して一部の漁民がS島への上陸を開始し占拠。漁民はZ国特殊部隊員が偽装しており、上陸した偽装漁民とA国沿岸警備隊員間で小競り合いが発生し、Z国側が正当防衛と称してA国沿岸警備隊員を銃撃。A国沿岸警備隊は正当防衛の範囲で応戦し、双方に死傷者が多数発生した。Z国は自国民保護のためZ国海軍艦隊と海兵隊をS島に派遣。

このような状況が生起した場合、どのようなことが広報の分野では生起することが予想されるのであろうか。

【Z国広報】
認知領域、MOOTW、ハイブリッド戦において予想されるZ国の広報活動のシナリオは次のとおりである。

①ニュース発信のために作戦開始とともにプレスセンター開設し、各国報道機関を招待し厚遇。記者等の宿泊、食事などの生活支援や各種事務機器などをはじめとする勤務環境に最大限の配慮。
②国内に対しては国営放送、国外に対しては国際メディアを通じてセンセーショナルな映像・画像情報をニュース配信に便利な状態で提供するとともに、記者会見では詳細な状況やデータを記者に頻繁に配布し、常に高いニュース・バリューを維持。
③ニュース配信内容は作戦計画立案時に作戦行動とリンクをして作

成。上陸偽装漁民とともにコンバットカメラが活動し、衛星通信を利用してリアルタイムで情報を党本部、国防部に送信。情報は作戦計画に従って編集し、プレスセンターで配布・配信する。

④マスメディアへの情報提供と同時に、ジャーナリズムのレベルでは使用されない、より刺激的・センセーショナルな視聴覚情報（A国の残虐行動を強調する編集されたものやフェイクを含む）SNSを投稿するなどし、グローバルに情報を拡散。

⑤Z国広報は、国連をはじめ国際社会におけるステークホルダー（利害関係者）に状況説明するなど、積極的に情報配信と理解の取り付けなど外交と一体化した行動を展開。

このように事態の展開に連動し、高いニュースバリューを持つ情報を国内外のメディアにスピーディに提供することによって、Z国は最も効果的かつ強力なプロパガンダを実行することができ、国際社会だけでなくZ国国内世論も効果的に統一することができる。こうした事態にA国はどのように対応すればよいのであろうか？

あらためて強調したいのは、本統合ドクトリンJP3-61において広報が作戦・運用と一体化して捉えているのは、正しい情報や写真・映像を適時に発信によって、国民や世論からの理解や支持が得られなければ、作戦・運用を継続していくことは困難であると認識していることにある。

また、敵対勢力からのプロパガンダを無力化しつつ、国益、国家戦略、軍事作戦を達成するなかで報道の自由を保証するには、作戦保全に基づいた軍事的な任務と情報提供のバランスを図り、周到な広報計画と情報の発信が作戦遂行に必要不可欠であることが、JP3-61で強調されているのである。

JP3-61が示す広報の5本柱のうち、米軍が重要視している指揮官に対する広報官による報告・助言の機能は広報の持つ多角的な情報を指揮官に報告・助言することにより、情勢判断における客観性を維持するためのものである。

（2）情報の収集・発信機能

　我が国は四面を海に囲まれた島国である。たとえば有事の際、自衛隊が活動する領域は、陸岸からはるか遠くに離れた洋上であったり、離島であったりする。太平洋、日本海、東シナ海で発生している事態を敵対勢力よりも早く国内および海外メディアに伝えるには、現場に赴き写真や映像を撮影し、迅速に情報を提供できることが必要である。

　情報化社会における情報不足は、国民や社会の不安を増大させることから、敵対勢力のプロパガンダはマスメディアを含めた我が国世論に効果的に作用する可能性が大きい。このため適時適切な情報提供や説明といったものは極めて重要となる。

　米軍はJPASEに対して、最前線で事態の対応にあたっている戦域や、まったく準備がされていない場所で発生した不測事態などあらゆる環境下において、適切な広報計画やメディア・オペレーションを展開し実施できる能力を常にアップデートし、保持している。

　JPASEは、約50人で全世界に展開する米軍全体の広報を支え、かつ事態発生時には米国民や世論の前面に立ち、敵対勢力のプロパガンダに対抗することになるが、JPASE の機能は、まさに官民を問わず戦略的広報の構築や実働チームの展開という機能は注目すべきものである。

　また、コンバットカメラは、さまざまな任務に応じた写真・映像を撮影・編集する機能を持ち、目的に応じた撮影方法や編集によって必要な情報を提供している。写真・映像が持つ情報化社会への大きな影響力、そしてソーシャル・ネットワークの影響力を考慮すると、祖聴覚情報の一次情報を取得収集するコンバットカメラの役割は極めて重要である。

　そして、予算やコスト、マンパワーの制約の中で適時適切に国内外に情報を提供するには、即応性、機動性、柔軟性を有するJPASEやコンバットカメラの機能を活用することがポイントとなるであろう。

　民主主義国家において国民の理解というものは極めて重要であり、軍事的な作戦のみならず、政策やプロジェクトの継続が困難であるのは、日本も米国も同じであり、急速な進歩を遂げている情報通信技術と情報

化社会という環境条件を考慮すると、日本の戦略的広報の置かれている位置からは、世界の後ろ姿しか見えない状況といっても過言ではない。

　グローバルスタンダードからデジタル化やデータサイエンス、サイバーなどを含めた情報通信の技術的後進とインフラ整備の後れについて、日本人は真摯に受け止め、未来を見据えることが必要である。

　そのうえで、この状況を「チャンス」と前向きに捉え、次世代テクノロジーにジャンプ・インし、世界をリードするポジションを獲得すべく、経済的・人的資本を惜しみなく投入すべき時代となっている。

（3）課題と挑戦

　これまで、JP3-61の内容を記述し、日本の実情にどのように適合させるかを検討してきた。米軍が第2次世界大戦前から約80年以上にわたり試行錯誤を積み重ねグローバルICT時代に適合した広報戦略というものがドクトリンとしてまとめられている。その大前提は広報の「作戦・運用との一体化」である。

　積極的に正しい情報や映像を発信し、日本について国内外からの理解を促進するには、作戦・運用に関わる情報の保全と広報とのバランスを図るための体制が必要であり、そのためには作戦・運用として広報を位置付けることが必要なのである。そして日本の組織的、文化的特性を考慮すると、グローバルスタンダードレベルの広報として実効性を有するためには、JPASEとコンバットカメラが有する機能が必須である。

　JPASEは、広報の専門知識と経験を有する要員を、必要とする場所において必要とする能力を発揮することを任務としている。特にメディアの関心が最も高い初動対応を重視しており、国内の不安や混乱の抑制、敵対勢力によるプロパガンダへの対抗、作戦における情報戦の優位性の獲得など、JPASEは極めて重要かつ戦略的な任務を持っている。

　日本にとってJPASEの機能は、人的資源や予算の制限が厳しい環境下にあって極めて有用であり、また平時において全国の司令部や部隊を巡回し訓練などを実施することで、我が国の広報能力を向上させるだけで

なく、新たなJPASEの要員をリクルートする機会を得ることができる。

　また、コンバットカメラによる写真・映像の収集機能は、作戦・運用の進行や展開と一体化した多様な広報活動を支援することができる。コンバットカメラの多様な任務への対応能力は、写真・映像が持つ情報化社会への影響力の大きさを考慮すると極めて重要である。

　コンバットカメラの写真・映像情報は可視化された情報であり、何よりも注目すべき機能は、メディアが取材できない環境下の写真・映像情報を広報として情報発信できることである。安全な場所から遠く離れたところで展開される事態において、コンバットカメラの写真・映像情報の収集機能は広報上、極めて重要である。

　したがって、JPASEの機能と一体化したコンバットカメラ機能を整備することで、広報だけでなく作戦遂行に関わる情勢判断に必要な情報を収集・提供していくことができると考えられる。

　日本においてJPASEやコンバットカメラの機能に支えられた広報を作戦・運用と一体化して実施することは、社会や世論の不安を払拭し、敵対勢力のプロパガンダなどの宣伝活動の効果を弱め、我が国の防衛の活動環境を安定化させることが目的である。

　日本の広報、特に戦略的広報においては、まず総務・監理の広報から情報作戦の分野ではなく、作戦・運用の広報にシフトすることである。

　JPASEやコンバットカメラの機能を活用し、我が国の正当性や正義、そして信頼性をソフト・パワーとして発揮するための意識改革と新しいコンセプトの構築という挑戦が必要である。

　そのためには、JP3-61が示しているように作戦・運用と広報を一体化し、「真実」を、「適時」に、「一貫」した情報を発信する態勢を構築し、広報をスマート・パワー化するための具体的な行動が必要である。

おわりに

（前山一歩）

　2011年3月11日14時46分、東日本大震災が発災した。この時、筆者は防衛省統合幕僚監部副報道官の職にあり、東京市ケ谷の防衛省の庁舎で勤務していた。地震発生とともに各部隊はいっせいに状況偵察を開始し緊迫した状況が続いたが、それほど大きな被害が発生していないという報告が入り、報道官室には安堵の空気が広がり始めた。

　ところが偵察飛行中のヘリから、海岸に向かって白い線、津波のようなものが接近しつつあるとの情報が入り、やがてその津波は沿岸の町に到達した。津波が街中に広がっている中継映像を前に、我々は一体いま何をすべきか。検討する時間はなかった。我々がしなければならないのは行動であり、それは被災者の救助に全力を傾けることであった。

　すでに自衛隊の陸海空部隊は行動を開始しており、報道官室に入ってくる情報は2次曲線的に増加し始めた。現地の通信インフラは寸断され、警察、消防、自治体が把握できる情報は限られていた。この時、空から、陸から、海からさまざまな情報を収集し、その現地情報を通信伝達できるのは自衛隊だけであり、その情報こそが被災地の方々が渇望するものであった。

　11日の夕方になると少しずつ記者が統幕報道官室に集まり始め、控室は自然発生的に小さなメディアセンターとなった。ここで、自衛隊の救助活動、救援活動、地域の被害情報などの最新情報が記者たちに伝えられ、ニュースとなって被災地に届けられた。時には記者からも情報提供がなされ、その情報に基づいて自衛隊部隊が救援に向かうこともあった。

　それまで、一般的に自衛隊の報道対応は事故や不祥事といったものが多く、たとえば海上自衛隊では1988年に発生した「潜水艦なだしお遊漁船第一富士丸衝突事件」や2008年の「護衛艦あたご漁船清徳丸衝突事件」など気が重いものであった。しかし、東日本大震災では全く異なっ

ていた。自衛隊の作戦情報収集能力を活用し、収集した情報の真偽を迅速に確認し、タイムロスを最小に報道機関に情報提供を続けた。また、現地で救助作業にあたる自衛隊員の様子や、取材やインタビューを受ける現場隊員の生の声によって、ありのままの自衛隊、人としての自衛官の姿が社会に伝えられることになった。その結果として、自衛隊が国民からの理解と信頼を得る機会となった。

2013年、筆者は海上自衛隊幹部学校に異動した。当時、教育体制の改革プロジェクトを担当しながら、戦略広報を研究テーマにしていた。ある時、リサーチの一環としてトモダチ作戦をレビューしていたところ、在日米軍司令部の友人から紹介されたのが『JP3-61（2010年版）』である。

統幕副報道官時代は日々の業務に忙殺されていたため、その存在は知っていたものの手に取ることはなかった。しかし、初めて『JP3-61』のページを開くと、まさに東日本大震災における筆者の広報の実体験が体系的に整理され、マニュアル化されていた。このドクトリンの価値と有用性を何らかの形で社会に紹介し、役立ててもらうことができればと「海上自衛隊の広報の課題と挑戦―米軍広報との比較から―」を執筆し、海上自衛隊幹部学校戦略研究（海幹校戦略研究 2013年5月(3-1)）に論文として掲載された。

また、2016年から定年退官する2022年までの約6年間、米国メリーランド州アナポリスにある米海軍兵学校の連絡官として勤務した。ここでは言語文化学科に配置され、同校教官として日本語教育を担任し、日本の文化、歴史、政治、経済、安全保障などについて学生教育を実施した。日々の勤務の中ではさまざまな行事や来訪者対応などが頻繁にあり、米海軍の教官や教職員と同じように『JP3-61』に基づいたレギュレーションの中で、時には主体的に、時には従属的に日本や米海軍兵学校の広報に関わる経験を積み重ねた。

基本的に日本の連絡官・教官としては、アナポリスで日米海軍の友好と信頼を構築することで日米同盟の強化を図ることがビジョンやテーマになるが、広報の観点からは日本とアメリカの「相互理解・相互信頼」を学生たちに醸成することが、現場でのフォーカス・ポイントとなる。

特に「相互」というのが重要なポイントとなることから、学生たちに対して日本への理解を促進させるコンテンツを日本のごく普通の日常生活からアカデミックレベルまで用意すると同時に、学生たちが卒業後、海軍または海兵隊の士官として日米の懸け橋となる時に、アメリカから日本に向けた広報ができる素地を作るという部分にも配慮し、彼らの文化資本蓄積に努める授業内容を充実させた。

　こうした授業コンセプトが学生たちに受け入れられ、日本語の履修率は赴任時の2.8パーセントから3.8パーセントに増加し、顧問を務めた Japanese American Club の登録者数も約50人から500人になるなど状況に変化が生じた。

　また、全米海軍が見守る一大イベントである「シップセレクション」がアナポリスで毎年2月に行なわれる。これは、4年生の艦艇要員約250人が成績順に赴任先の艦艇を選ぶもので、この中には日本の横須賀と佐世保所属の艦艇数十隻が含まれている。

　2018年から筆者の発案で、いちばん初めに日本を選択した学生に日米海軍友好の証しとして居合刀（模造刀）の贈呈をはじめたが、これが予想を超える反響となった。翌年にはABCテレビで取り上げられ、ニュースのなかで早くも「日米海軍の伝統」と解説された。アメリカのスピード感には驚かされたが、居合刀の贈呈はシップセレクションの目玉となり、毎年会場のホールは学生たちやその家族の大歓声に包まれている。この日米友好の若いエネルギーにあふれた情景は、米海軍によってさまざまなメディアを通じて世界中のオーディエンスやステークホルダーに伝えられており、日米の対抗勢力に対して広報による抑止力を発揮する『JP3-61』実践の場ともなっている。

　アナポリスでの6年間は、『JP3-61』の中核となっている情報の真実性や誠実な姿勢の堅持といったものが極めて重要であることを学ぶ機会となった。一方で、プロパガンダのような作為的な情報や活動は必ず人々に見透かされ、ネガティブな結末を迎えることが多いことも実体験として記しておきたい。

　また、米海軍のインサイド・コミュニティのメンバーとして学んだこ

ととして、「人材の知的能力」こそが、米国に対抗する国家や勢力との間に軍事的・技術的能力の差や優位性を確保し、国家間のパワーバランスの中で信頼できる抑止力の基盤になると考えられていることをお伝えしたい。

これまで米海軍はその歴史を「帆船の時代」「蒸気機関の時代」「原子力の時代」そして最近を「ミサイルの時代」と捉えてきたが、これからは「知性の時代」と分析している。コンピュータを基軸とする通信技術革新によってもたらされたサイバー・宇宙時代における優位性と抑止力の確保は、アカデミックな知識や知的トレーニングによって獲得される迅速かつ正確な思考能力と判断力によって担保される。すなわち知の領域における戦いに勝利するには、人的能力の向上と人的資源の確保が必要不可欠なものであるという強い危機感を持っているのである。

まさに、米海軍が重視するこの「知の領域」における主戦場こそが広報による知の戦いであり、ここに米軍広報がＰＲではなくＰＡと定義している理由がある。

前述のとおり、東日本大震災において初の統合運用を行なった自衛隊広報を担当した強烈な実体験、そしてアナポリスにおける日米関係構築の現場を通じて『JP3-61』が強力にリンクしており、あらためて『JP3-61』の価値と有用性を強調したい。

武道の世界では「守破離」が説かれるが、まずは『JP3-61』を知り、運用化し、それを基礎として改善・改良を加えて、我々日本人の特性に応じた広報が構築されていくことを、筆者は切に願っている。

『JP3-61』最後に本書の制作に多大にご尽力をいただいた並木書房編集部に心から感謝申し上げるとともに、本書が不確実性に満ち溢れた時代の先端を切り開く読者諸賢のお役に立てれば幸いである。